L'intimité harmonieuse

Infographie : Chantal Landry
Révision : Céline Sinclair
Correction : Anne-Marie Théorêt, Céline Sinclair

Catalogage avant publication de Bibliothèque et Archives nationales du Québec et Bibliothèque et Archives Canada

Parent, Geneviève

L'intimité harmonieuse : la clé du savoir-être relationnel et sexuel

1. Intimité. 2. Relations sexuelles. 3. Relations humaines. I. Titre.

BF575.15P37 2009   158.2   C2009-940019-7

Pour en savoir davantage sur nos publications, visitez notre site : **www.edhomme.com**
Autres sites à visiter : www.edjour.com
www.edtypo.com • www.edvlb.com
www.edhexagone.com • www.edutilis.com

01-09

© 2009, Les Éditions de l'Homme,
division du Groupe Sogides inc.,
filiale du Groupe Livre Quebecor Media inc.
(Montréal, Québec)

Dépôt légal : 2009
Bibliothèque et Archives nationales du Québec

ISBN 978-2-7619-2572-3

DISTRIBUTEURS EXCLUSIFS :

• Pour le Canada et les États-Unis :
MESSAGERIES ADP*
2315, rue de la Province
Longueuil, Québec J4G 1G4
Tél. : (450) 640-1237
Télécopieur : (450) 674-6237
* filiale du Groupe Sogides inc.,
filiale du Groupe Livre Quebecor Media inc.

• Pour la France et les autres pays :
INTERFORUM editis
Immeuble Paryseine, 3, Allée de la Seine
94854 Ivry CEDEX
Tél. : 33 (0) 1 49 59 11 56/91
Télécopieur : 33 (0) 1 49 59 11 33
Service commande France Métropolitaine
Tél. : 33 (0) 2 38 32 71 00
Télécopieur : 33 (0) 2 38 32 71 28
Internet : www.interforum.fr
Service commandes Export – DOM-TOM
Télécopieur : 33 (0) 2 38 32 78 86
Internet : www.interforum.fr
Courriel : cdes-export@interforum.fr

• Pour la Suisse :
INTERFORUM editis SUISSE
Case postale 69 – CH 1701 Fribourg – Suisse
Tél. : 41 (0) 26 460 80 60
Télécopieur : 41 (0) 26 460 80 68
Internet : www.interforumsuisse.ch
Courriel : office@interforumsuisse.ch
Distributeur : OLF S.A.
ZI. 3, Corminboeuf
Case postale 1061 – CH 1701 Fribourg – Suisse
Commandes : Tél. : 41 (0) 26 467 53 33
Télécopieur : 41 (0) 26 467 54 66
Internet : www.olf.ch
Courriel : information@olf.ch

• Pour la Belgique et le Luxembourg :
INTERFORUM editis BENELUX S.A.
Boulevard de l'Europe 117, B-1301 Wavre – Belgique
Tél. : 32 (0) 10 42 03 20
Télécopieur : 32 (0) 10 41 20 24
Internet : www.interforum.be
Courriel : info@interforum.be

Gouvernement du Québec – Programme de crédit d'impôt pour l'édition de livres – Gestion SODEC – www.sodec.gouv.qc.ca

L'Éditeur bénéficie du soutien de la Société de développement des entreprises culturelles du Québec pour son programme d'édition.

Le Conseil des Arts du Canada
The Canada Council for the Arts

Nous remercions le Conseil des Arts du Canada de l'aide accordée à notre programme de publication.

Nous reconnaissons l'aide financière du gouvernement du Canada par l'entremise du Programme d'aide au développement de l'industrie de l'édition (PADIÉ) pour nos activités d'édition.

Geneviève Parent

L'intimité harmonieuse

La clé du savoir-être relationnel et sexuel

LES ÉDITIONS DE
L'HOMME
Une compagnie de Quebecor Media

*À mes parents, qui ont su m'inculquer les valeurs et les principes
qui ont fait de moi la personne que je suis aujourd'hui.
Merci d'avoir cru en moi et d'avoir toujours été fiers de moi.*

*À mon conjoint, qui est là pour moi, qui me soutient
et m'encourage quand j'en ai besoin.*

*À mes chers lecteurs, que je remercie de la confiance
qu'ils me témoignent en lisant ce livre. Je suis persuadée
qu'ils en retireront quelque chose de positif.*

Introduction

Ce livre se veut un guide, une référence. Il vous amènera à faire un voyage des plus captivants dans un pays que vous n'auriez peut-être jamais songé à visiter : vous-même ! Il vous fera découvrir vos richesses inexploitées et vous fera travailler ce que vous n'avez pas pu ou pas su développer jusqu'à maintenant.

Contrairement à plusieurs autres livres déjà parus sur les relations et la sexualité, ce guide met l'accent sur le **savoir-être** relationnel et sexuel plutôt que sur le **savoir-faire.** Les auteurs de livres sur la sexualité sont nombreux à vanter les mérites de leurs techniques pour vous transformer en athlète sexuel. Ils reflètent généralement le fait que, dans notre société, la sexualité est trop souvent vue comme un bien de consommation dont on veut retirer le meilleur rendement en toutes circonstances. Les gens se trouvent ainsi dans une situation où ils doivent exploiter leurs « talents » afin de devenir de meilleurs amants. On veut leur apprendre des techniques « infaillibles » pour qu'ils en arrivent à améliorer leur savoir-faire. Les sexologues ont donc beaucoup de travail à faire, car plusieurs personnes se sentent incapables de répondre à ces attentes sociales et en éprouvent de la détresse.

Ce que je vous offre ici, c'est un guide de savoir-être relationnel et sexuel, c'est-à-dire un outil qui vous permettra de vous développer personnellement et d'adopter une attitude relationnelle et sexuelle qui soit en harmonie avec ce que vous êtes. N'est-ce pas lorsqu'on est sourd à ses désirs, à ses besoins et à ses limites que l'on risque d'essuyer les plus grands échecs amoureux et sexuels ? Voilà pourquoi je vous propose d'apprendre à **être** plutôt qu'à **faire.** Je vous incite à acquérir la connaissance de soi qui permet l'avancement, l'évolution et l'harmonie, plutôt que la connaissance de techniques appliquées pour correspondre à l'image, au stéréotype, aux attentes des autres. Après tout, n'est-ce pas **votre vie** que vous voulez vivre et non celle des autres ?

Si vous voulez faire ce cheminement, je vous recommande impérativement de prendre toutes les mesures nécessaires pour vous accorder du temps. Nous consacrons du temps à bien des choses dans notre vie, mais nous nous en réservons trop peu pour nous-mêmes. Or, vous méritez de prendre ce temps pour vous-même, sans compter le fait que vos relations et votre vie s'en trouveront améliorées.

Ce livre étant une démarche en soi, vous n'avez pas besoin de le lire d'une couverture à l'autre. Je vous conseille plutôt de lire un chapitre à la fois, ou même une section à la fois, et de réfléchir en vous demandant en quoi les propos que vous venez de lire sont susceptibles de vous rejoindre. Il se peut qu'à première vue vous ne vous reconnaissiez pas tellement dans certaines notions, mais ne vous empressez pas de les mettre de côté pour autant. Parfois, c'est ce qu'on repousse rapidement du revers de la main qui, au fond, nous rejoint ne serait-ce que partiellement. Permettez-vous de poser un second regard sur votre vie.

Finalement, je vous recommande fortement de vous procurer un cahier vierge qui vous accompagnera dans votre démarche et que j'appellerai votre « journal de bord ». En thérapie, je le demande systématiquement à mes patients. Dans certains de mes cours, je le demande à mes étudiants. Il vous permettra d'y écrire vos réflexions par rapport à vos lectures et de répondre aux questions que je vous adresserai dans ce livre. Il deviendra un outil de référence dans votre cheminement ; toutes vos réflexions par rapport à votre démarche s'y retrouveront et il vous sera facile de vous y référer par la suite. Quand bon vous semblera, vous pourrez revenir à certaines réflexions et vous étonner vous-même en constatant le chemin que vous aurez parcouru depuis le début de votre démarche. Bonne route !

Chapitre 1
Quand je me regarde dans un miroir

Quand vous vous regardez dans un miroir, que voyez-vous? Une personne de sexe masculin ou féminin, plutôt jeune, mûre ou âgée. C'est ce que les gens qui vous croisent tous les jours reçoivent comme premières informations. Mais si vous regardiez au-delà de cette première image, que verriez-vous? Un être avec des attributs uniques.

Au premier coup d'œil, ces attributs sont d'abord physiques. La tête, le visage, le cou, les épaules, les bras, le torse, les hanches, le sexe, les jambes et les pieds. Chaque membre de ce corps est unique. Même lorsque les membres viennent par paire, chacun d'eux n'est jamais identique à son jumeau. C'est ce qui vous rend différent des autres êtres de cette planète. Même si vous ressemblez indéniablement à vos parents, à vos frères et à vos sœurs, ces similarités physiques n'en font pas des copies conformes de vous-même. Étant fondamentalement différent de vos parents de sang, vous êtes inévitablement différent des autres personnes qui vous entourent. C'est pour cette raison que vous ne pouvez vous comparer à qui que ce soit. Vous êtes unique.

Si cela semble évident au premier abord, ce n'est pas aussi simple. Même si nous savons que notre corps ne peut pas être le même que celui d'un modèle en particulier, cela ne nous empêche pas parfois de souffrir pour tenter d'avoir les attributs physiques que nous envions chez quelqu'un d'autre. Nous n'avons qu'à penser aux personnes qui souffrent de troubles alimentaires, qui s'entraînent de manière excessive et qui enchaînent régime amaigrissant sur régime amaigrissant, espérant chaque fois obtenir les résultats spectaculaires qu'on leur a fait miroiter; pensons aussi à celles qui subissent des chirurgies esthétiques sans que la moindre nécessité d'ordre médical les y contraigne. Ces nombreuses personnes ont un point en commun : elles ne s'aiment pas telles qu'elles sont ou, devrais-je dire, on ne leur a jamais appris à s'aimer telles qu'elles sont.

Ni la connaissance de soi, ni la connaissance du soi sexuel ne sont enseignées à l'école. C'est donc dire que, si l'on veut apprendre à se connaître, la marche est haute, car on doit du même coup apprendre à se valoriser. Ce n'est qu'après que l'on est en mesure de comprendre qu'on est absolument unique tant sur le plan psychologique que sur le plan sexuel. Comprendre signifie d'abord se connaître, puis donner du sens à notre différence. Ainsi, comprendre n'est que la première étape d'un processus d'acceptation de soi.

Bien sûr, pour tout cela, il faut prendre le temps. Je tiens à préciser tout de suite qu'on prend le temps pour ce qui nous paraît important : autrement dit, on a le pouvoir d'établir des priorités. Tout le monde dispose de 24 heures dans une journée, mais chacun est libre, jusqu'à un certain point, de disposer de son temps comme il l'entend. Ainsi, certains donneront priorité à la famille, d'autres au couple, au travail, aux loisirs ou aux amis, et j'en passe. Loin de moi l'idée de juger et de statuer sur ce qui devrait être important pour les autres. Cependant, je crois que l'on doit se méfier de l'excuse du genre : « Je n'ai pas le temps, je suis débordé. » À mon avis, il serait plus juste de dire : « Ce n'est pas une priorité pour moi. » Ainsi, par exemple, la lecture de ce livre et la mise en application des conseils que vous y trouverez vont vous demander du temps et de la disponibilité. Il n'en tient qu'à vous de déterminer ce qui compte le plus pour vous.

Bien sûr, il est plus facile d'appliquer une technique que d'entreprendre un processus de croissance personnelle comme celui que je vous propose ici. Par contre, après un certain temps, la qualité de la technique s'estompe et le problème n'est pas réglé. Pensez également à ceci : s'accorder du temps signifie que l'on est important. Si vous décidez de prendre ce temps pour vous, alors poursuivez votre lecture et vous verrez, les changements s'opéreront à mesure que vous apprendrez à vous voir tel que vous êtes.

UNE JUSTE IMAGE DE SOI

Apprendre à vous voir bien au-delà de la première image que vous projetez, voilà le réel défi. En effet, si vous n'arrivez pas à le faire, comment pourriez-vous exiger des autres qu'ils le fassent, eux? C'est incohérent. Sachez aussi que le fait de vous voir au-delà de l'image que vous projetez exige beaucoup d'honnêteté envers vous-même. Cela signifie que vous devez faire la différence entre l'image que vous voulez projeter, l'image que vous projetez et la personne que vous êtes réellement. Vous seul êtes capable d'évaluer dans quelle mesure il y a une concordance entre les trois. Voilà pourquoi la démarche implique une très grande honnêteté vis-à-vis de vous-même. Bien sûr, ce regard lucide que vous posez sur vous-même afin d'apprendre à vous connaître signifie voir plus loin que l'apparence physique. C'est voir et apprécier vos qualités et vos défauts tant physiques que psychologiques. Tous ces attributs sont ce qui vous compose, vous, comme personne, comme être unique à part entière. Bien sûr, votre miroir peut fréquemment vous renvoyer une image déformée de vous-même. Il peut vous faire paraître affublé d'encore plus de défauts que ceux que vous avez en réalité. Votre vision a pu être déformée par une éducation trop stricte, un manque d'encouragements ou un manque de modèles parentaux positifs, par exemple. Ce que vous devez retenir, c'est que cette vision que vous avez de vous-même affecte directement votre façon d'être et votre façon d'interagir avec les autres. Une vision déformée amènera son lot de déceptions et de frustrations dans votre vie. N'oubliez pas que ce que vous voyez de vous-même dicte votre conduite, vos attentes et vos buts personnels.

La personne qui ne s'aime pas exigera peut-être beaucoup d'elle-même dans l'espoir de renvoyer une meilleure image. Dans ce cas, cependant, elle courra droit à l'échec et, par conséquent, à l'autodépréciation. Il arrive aussi qu'une personne qui ne s'aime pas n'exige pas grand-chose d'elle-même, convaincue, au fond, qu'elle n'arriverait à rien de toute façon. Elle n'accomplira rien et perpétuera sa vision négative d'elle-même.

VOTRE PORTRAIT PHYSIQUE

Je vous propose de faire un premier exercice dans votre journal de bord en prenant conscience de l'image que vous renvoie votre miroir. Tenez-vous debout, face à un miroir dans lequel vous vous voyez de la tête aux pieds, et regardez-vous. Jetez d'abord un coup d'œil physique et notez vos impressions. Que voyez-vous? Quels sont vos points forts? Allez... je vous entends penser. « Je n'en ai pas », me direz-vous. Eh bien, je vous répondrai que nous en avons tous, alors jetez un deuxième coup d'œil, plus indulgent, le genre de regard que vous avez pour les autres. Nous sommes souvent plus indulgents envers les autres qu'envers nous-mêmes. Voilà! Je savais que vous y arriveriez! Maintenant, quels sont vos points faibles? Rappelez-vous que c'est **vous** qui considérez ces éléments comme des points faibles et qu'ils n'en sont pas nécessairement. Notre regard est rarement objectif. Tout en gardant cela en tête, examinez chaque point faible en le considérant de manière plus réaliste. À côté de chaque point faible, écrivez: « Cela fait partie de moi, mais je ne suis pas que cela. » N'oubliez pas. Le tout est toujours plus que la somme de ses parties. Aussi, apprenez à apprécier vos défauts, à comprendre qu'ils vous distinguent des autres. Sachez que même un défaut physique peut être mignon pour quelqu'un qui nous aime...

VOTRE PORTRAIT PSYCHOLOGIQUE

Maintenant que vous avez fait le tour de la connaissance de soi physique, attardez-vous un peu à la connaissance de votre soi véritable, c'est-à-dire l'être que vous êtes à l'intérieur. Cet être est aussi composé de qualités et de défauts qui le rendent unique. Plusieurs me diront: « En quoi est-ce important de se connaître?

Qu'est-ce que ça va m'apporter?» Eh bien, vous connaître amènera à vous aimer et vous aimer vous amènera à faire des choix qui seront bons pour vous, à vous entourer de personnes qui vous apprécieront, à chercher à vous dépasser dans le cadre de limites que vous vous imposerez à vous-même parce que vous vous connaissez et vous vous respectez. Et alors, vous choisirez un partenaire qui saura vous aimer, car vous lui montrerez que vous êtes aimable, et vous adopterez une sexualité saine parce que vous vous aimez et que vous voulez le meilleur pour cette belle personne que vous êtes. Nous reviendrons plus en détail sur ces concepts dans les chapitres suivants.

Pour mieux connaître votre soi intérieur, faites un deuxième exercice: écrivez cinq défauts que vous avez et, pour chacun, faites une courte description en une phrase. Par exemple, si vous comptez la jalousie au nombre de vos défauts, vous pourriez écrire à ce sujet: «Je suis jaloux quand je me sens inquiet dans ma relation.»

Prenez votre liste de défauts et cherchez le contraire, l'antonyme, de chacun d'eux. Vous savez maintenant ce que vous pouvez chercher à améliorer. Par exemple, l'antonyme de la paresse est l'effort. Si la paresse figure dans votre liste de défauts, vous savez donc que vous devez chercher à mettre davantage d'effort dans ce que vous faites. Ainsi, à la longue, vous serez moins dans la paresse. Comme vous l'avez remarqué, j'ai commencé par les défauts, car il est souvent plus facile, malheureusement, de nommer nos défauts que de nommer nos qualités. En effet, dans notre éducation, on nous a souvent appris que se reconnaître des qualités, c'est faire preuve de vantardise. Aujourd'hui, nous allons dépasser cette façon de penser, car nous voulons apprendre à nous aimer. Écrivez maintenant cinq qualités que vous possédez et, comme dans le cas de vos défauts, décrivez brièvement chacune d'elles en une phrase. Par exemple, si vous comptez l'honnêteté au nombre de vos qualités, vous pourriez écrire à ce sujet: «Je suis vrai dans mes rapports avec les autres.»

Maintenant, vous pouvez jeter un regard à votre liste de défauts et de qualités. C'est vous, c'est ce que vous êtes. C'est ce qui vous rend unique. Il serait étonnant de rencontrer quelqu'un qui ait exactement les mêmes défauts et les mêmes qualités que vous. Les défauts, comme toute chose, se travaillent. Je vous encourage fortement à travailler leurs contraires. Plutôt que de vous battre contre quelque chose que vous n'aimez pas, soyez créatif! Cherchez à acquérir ce que vous aimeriez avoir. C'est beaucoup plus positif ainsi. Cherchez à atteindre la qualité contraire à votre défaut et vous verrez qu'à la longue vos défauts seront moins présents. Votre vie et celle de vos proches n'en seront que plus agréables.

L'ÉVOLUTION DES QUALITÉS ET DES DÉFAUTS

Bien sûr, nos qualités et nos défauts se sont développés avec les années, au gré des événements qui se sont produits dans nos vies, mais la plus ou moins grande importance qu'ils ont prise est essentiellement attribuable à la perception que nous avions de ces événements. Nous allons voir que le cas de Claire et celui de Nathalie illustrent bien ce phénomène.

Claire a été laissée pour une autre femme par André, qu'elle fréquentait depuis trois ans. Elle s'est sentie trompée et rejetée. Cinq ans plus tard, elle en veut encore à André, jurant qu'elle ne lui parlera plus jamais. Elle éprouve aussi beaucoup de colère à l'égard de la femme qui l'a remplacée dans la vie d'André. Avec le temps, Claire a élargi ses sentiments aux autres hommes et aux autres femmes. Ainsi, elle se méfie maintenant des hommes et ne les laisse guère s'approcher d'elle. Quant aux femmes, il lui est très difficile de tisser des liens d'amitié sincères avec elles; elle se sent constamment inquiète et se compare à elles. Claire est très malheureuse et blâme son ex-conjoint et sa compagne pour ses malheurs actuels.

De son côté, Nathalie a vécu une situation similaire avec Louis, après cinq ans de vie commune. Malgré la peine qu'elle a ressentie, elle s'est bientôt reprise en main en se disant que la vie lui offrait une autre chance de vivre quelque chose de différent. Après coup, en analysant la situation, elle a compris que sa relation avec Louis connaissait des problèmes bien avant que l'autre femme entre dans leur vie. Elle ne s'est pas sentie rejetée, mais a compris que son conjoint avait décidé qu'il serait plus heureux avec une autre femme qu'avec elle et, tout compte fait, elle est d'accord. Ils étaient tous les deux malheureux. Louis a seulement mis en lumière la situation dans laquelle ils se trouvaient tous deux. À 40 ans, elle a eu une autre chance de refaire sa vie.

Ces exemples démontrent bien le fait qu'un événement similaire peut avoir une influence totalement différente sur la vie de deux personnes. Au bout du compte, tout dépend de la perception que nous en avons. Ainsi, Claire a progressivement opté pour la méfiance, alors que Nathalie est demeurée tout aussi ouverte d'esprit après sa rupture que lorsqu'elle était en couple. Il y a fort à parier que Nathalie aura beaucoup plus de facilité à refaire sa vie avec quelqu'un d'autre.

L'ANALYSE DE VOS DÉFAUTS

Pour que vous puissiez appliquer à vous-même ces principes et exemples, je vous invite à réexaminer les défauts que vous avez notés dans votre journal de bord. Interrogez-vous sur la provenance de chacun et, plutôt que de blâmer les événements ou les personnes qui les ont provoqués, examinez la perception que vous aviez de ces événements ou de ces personnes et pensez à la manière dont vous pourriez la modifier. Passez chacun de vos défauts un à un et répondez aux questions suivantes :

- D'où me vient ce défaut ?
- À quel contexte ou à quelle personne est-il rattaché ?
- Quelle perception ai-je eu de ce contexte ou de cette personne ?
- Comment puis-je modifier cette perception pour aller de l'avant ?

Prenons l'exemple de Paul. En faisant l'exercice, Paul reconnaît qu'il est plutôt égoïste dans sa vie. Il se le fait d'ailleurs souvent reprocher par son entourage. Quand il s'interroge sur la provenance de ce défaut, il se rappelle que, pendant son enfance, parce qu'il était l'aîné, ses parents lui demandaient constamment de penser à ses quatre frères et sœurs et de ne pas être aussi égoïste. En fait, Paul a constamment eu l'impression de devoir s'oublier au profit des autres enfants pour qu'ils ne manquent de rien. En grandissant, Paul s'est dit que dorénavant il allait penser à lui d'abord et avant tout. Cependant, ayant été blessé, il étire au maximum ce principe et fait souffrir ses proches. Il souffre, lui aussi, puisque des gens qu'il aime le délaissent à cause de son défaut.

Pour changer sa perception, il devra comprendre et accepter que les principes d'éducation qu'on lui a inculqués étaient très populaires à une certaine époque ; de plus, même si on lui demandait de donner l'exemple en tant qu'aîné, il n'avait pas à s'oublier. Lui aussi, en tant qu'enfant, avait des droits et des besoins. Si ses besoins n'ont pas été comblés à ce moment-là de sa vie, alors que c'était particulièrement important, ce n'est certainement pas en les méprisant aujourd'hui chez les autres qu'il se sentira comblé. La colère et la tristesse qu'il ressent relativement à cette époque de sa vie sont tout à fait normales, mais elles doivent être canalisées plus positivement. Ainsi, Paul doit en tirer une leçon : celle de ne plus s'oublier désormais dans ses rapports avec les autres sans pour autant négliger leurs besoins. En réfléchissant à tout cela et en laissant infuser[1] sa réflexion, il pourra peu à peu entretenir des rapports plus sains avec son passé, avec lui-même et avec les autres.

À l'instar de Paul, laissez infuser vos conclusions du dernier exercice. Rappelez-vous que vous avez trois corps qui sont

---

1. Infuser est un terme que j'aime beaucoup utiliser. Je le définis comme la capacité à laisser descendre au plus profond de soi des choses que nous comprenons bien avec notre tête, mais que notre cœur a aussi besoin de comprendre afin que les changements s'opèrent. Ce n'est qu'une fois que la paix sera faite entre la tête et le cœur que les changements s'opéreront de manière fluide.

interreliés : votre corps physique, votre corps mental et votre corps émotionnel. Pour que tout votre être fonctionne bien, il doit y avoir une synergie[2] entre vos trois corps. Si l'un est affecté, inévitablement les autres le seront. Autrement dit, si dans votre tête (corps mental) vous reprochez à votre conjoint de vous avoir trompé, même si vous tentez de lui pardonner et que vous voulez poursuivre votre vie de couple, vous ressentirez éventuellement de la colère et de la méfiance (corps émotionnel) qui, à la longue, pourront vous amener à avoir des douleurs à l'estomac lorsqu'il tentera de se rapprocher plus intimement de vous (corps physique). Voilà pourquoi vous ne pouvez pas faire abstraction d'un corps. Par son existence, chacun de vos corps vous rappelle l'existence des deux autres, si vous y êtes attentif.

VOS DÉFAUTS ET VOTRE SEXUALITÉ

Ce que nous avons vu jusqu'à maintenant est certes fort intéressant d'un point de vue psychologique, mais il ne faudrait surtout pas négliger le fait que tout cela influence aussi beaucoup notre sexualité. Les défauts psychologiques que nous manifestons dans nos rapports avec les autres ne disparaissent pas une fois que nous nous mettons au lit avec quelqu'un. Revenons au cas de Claire pour illustrer ce constat crucial.

Se montrant méfiante à l'égard des hommes, Claire aura beaucoup de difficulté à se laisser aller au lit avec un partenaire. Elle craindra d'être jugée et comparée. Il se peut qu'elle vienne me consulter pour un manque de désir, car, trop concentrée sur son besoin de se protéger d'un homme qui pourrait la blesser, elle est incapable de ressentir du désir. Elle pourrait aussi me consulter parce qu'elle a de la difficulté à être excitée sexuellement, à avoir du plaisir ou même parce qu'elle a de la douleur lors des relations sexuelles. Toutes ces manifestations lui parlent de sa difficulté à se laisser aller, laquelle est due à une souffrance plus grande

---

2.   Combinaison de l'action des trois corps en vue de l'atteinte d'un même objectif.

qu'elle devra explorer. Bien entendu, ce genre de réactions s'opère souvent de manière inconsciente, c'est-à-dire que Claire ne s'empêche pas délibérément d'avoir du désir et du plaisir sexuels ; toutefois, son corps manifeste des souffrances qui ont leur source dans sa tête et dans son cœur. Pour résoudre le manque de désir et de plaisir sexuels de Claire, il ne suffira pas de l'encourager à lire des histoires érotiques, à apprécier les caresses de son partenaire ou encore à adopter une position sexuelle plus stimulante pour ses organes génitaux. Non. Il faudra l'amener à comprendre les origines de son blocage sexuel, notamment la grande détresse qu'elle a vécue à la suite de sa séparation. Il lui faudra également examiner la façon dont cet événement a accru sa méfiance envers les hommes et le fait qu'inconsciemment cette méfiance se répercute dans son couple et sa sexualité. Une fois que Claire aura pris conscience de cela, elle pourra travailler à se libérer de cette souffrance liée à son passé pour aller de l'avant dans sa vie, dans son couple et dans sa sexualité.

Rappelez-vous qu'il est important de travailler sur la source d'un problème, car on obtient des résultats plus satisfaisants qu'en cherchant à corriger un symptôme. Pour expliquer mon approche à mes clients, je fais souvent l'analogie suivante : imaginez que vous avez de la difficulté à marcher sur votre pied droit, ce qui rend vos déplacements difficiles. Pour pallier votre problème, je vous offre une paire de béquilles. Vous pouvez ainsi vous déplacer, mais ça ne règle pas votre problème. Toutefois, je pourrais aussi vous faire passer des examens pour découvrir les sources de votre problème au pied et agir sur ces sources. Les consultations seraient plus nombreuses et peut-être plus douloureuses, mais les résultats seraient plus intéressants. Il en va de même en sexologie. Les premières rencontres devraient permettre au thérapeute de trouver les sources de vos difficultés sexuelles pour qu'ensuite il puisse vous aider à les travailler. C'est une approche beaucoup plus globale qui prend en considération toute la personne que vous êtes, et non pas seulement le problème pour lequel vous êtes venu consulter. Vous êtes plus que votre problème.

En ce qui concerne Paul, dont j'ai parlé précédemment, il risque de venir me consulter pour un problème d'éjaculation précoce, par exemple, parce qu'il s'est habitué à ne penser qu'à lui en dehors du lit. Pourquoi serait-il différent au lit ? Peut-être ne sait-il même pas comment il pourrait agir différemment, et ce, malgré les conflits que ce problème provoque avec sa partenaire. Il aimerait bien penser à l'autre, mais c'est ce qu'il a dû faire toute son enfance. Aujourd'hui, il agit de manière inconsciente, en réaction au rôle trop lourd qu'on lui a imposé en tant qu'aîné. Il pense donc d'abord et avant tout à lui-même, quitte à négliger l'autre. Il tente ainsi de réparer ce passé qui l'a troublé. Encore une fois, le problème d'éjaculation précoce serait le symptôme d'une souffrance plus profonde.

Après avoir trouvé la source de vos défauts et analysé votre perception des événements qui ont contribué à leur incrustation, demandez-vous : « S'il y avait une autre façon de voir la situation qui m'a amené cette souffrance, quelle serait-elle ? » Vous vous rendrez compte qu'il y a toujours plusieurs perspectives à une même situation et que, souvent, l'image dans notre miroir personnel a été atteinte parce que nous avons envisagé une perspective plutôt négative, alors que nous aurions pu nous frayer une voie neutre, voire positive.

Prenons l'exemple d'Andréa, une jeune femme de 30 ans qui a peu mis en valeur sa féminité. Elle n'aime pas les aspects féminins de son corps et tente de les cacher de son mieux. Elle croit depuis toujours que ses parents auraient voulu un garçon. Pour expliquer sa perception, qu'elle ne reconnaît pas comme une perception mais plutôt comme un fait, elle raconte que sa chambre d'enfant était bleue. Selon elle, cela indiquait clairement que ses parents attendaient un garçon. Aussi, à Noël, elle recevait des poupées et des camions. Elle se disait que ses parents ne pouvaient pas lui acheter seulement des camions, après tout elle était une fille, mais ils lui en achetaient pour lui montrer ce qu'ils auraient aimé qu'elle soit. Après plusieurs tentatives pour expliquer la situation autrement, elle n'en a trouvé aucune. Elle a décidé de demander à sa mère pourquoi sa chambre était bleue et pourquoi on lui achetait des camions. Sa mère lui a expliqué qu'elle ne voulait pas perpétuer les rôles traditionnels, les petites filles en rose s'amusant avec des poupées et les petits garçons en bleu s'amusant avec des camions. Elle trouvait cela sexiste et voulait affranchir sa fille de ces stéréotypes, dont elle-même avait souffert enfant. Autrement dit, elle a offert à sa fille les camions qu'elle aurait aimé posséder, enfant, mais qu'on ne pouvait pas lui offrir, compte tenu des mœurs très traditionnelles de l'époque.

Andéa se trouvait peu féminine et était malheureuse, sentant qu'elle ne pouvait pas être « femme », car, le cas échéant, elle aurait déçu ses parents. Après avoir compris qu'ils avaient voulu lui laisser la liberté d'être elle-même, sans restrictions liées aux rôles traditionnels, elle a été à même, petit à petit, d'explorer la féminité pour trouver la sienne propre. Peu à peu, elle s'est mise à apprécier ses courbes, à vouloir être plus séduisante et à mieux s'entendre avec les autres filles, qu'elle ne considérait plus désormais comme insignifiantes et superficielles.

On voit aussi dans cet exemple que la perception de soi-même peut influencer directement la sexualité. Si Andréa n'est pas bien dans son corps de femme et dans sa féminité, comment pourra-t-elle s'épanouir et se laisser aller à la pénétration avec un homme ? La pénétration vaginale n'est-elle pas la meilleure illustration de la complémentarité des pôles masculin et féminin ? En consultation, Andréa a appris à élargir sa sexualité et à érotiser la pénétration, ce qui lui aurait semblé inconcevable autrefois.

L'ATTÉNUATION DE VOS DÉFAUTS

En résumé, pour travailler un défaut, cherchez d'abord son contraire, c'est-à-dire la qualité qui se cache derrière et que vous aurez à cultiver. Rappelez-vous que le cerveau se concentre sur la globalité de sa programmation et ne s'embarrasse pas de détails. Ainsi, évitez de dire : « Je veux être moins impatient avec mon partenaire. » Le mot « moins » risque de passer inaperçu pour votre esprit. Dites plutôt : « J'aimerais être plus patient avec mon partenaire. » La programmation est ainsi positive.

Pour pousser plus loin l'exemple, supposons que vous reconnaissez que vous êtes impatient. Demandez-vous ce qui vous rend impatient, ce qui vous manque donc. Est-ce que vous vous emportez facilement ? Est-ce que vous êtes nerveux et c'est ce qui vous rend impatient ? Êtes-vous trop exigeant ? Ces questionnements vous amèneront à mieux cerner le contraire, c'est-à-dire la qualité que vous devrez travailler. Par exemple, pour « impatience », nous retrouvons parmi les antonymes les mots suivants : calme, endurance, patience. Vous auriez donc à déterminer laquelle des trois qualités vous parle davantage, celle que vous auriez intérêt à cultiver. Vous pouvez lire la définition du calme, méditer sur ce que le calme veut dire pour vous, visualiser des situations où vous demeurez calme malgré la tentation de l'impatience et, surtout, voir les résultats, les effets. N'oubliez pas de toujours formuler vos objectifs en termes positifs et surtout rappelez-vous que, selon les experts, l'être humain moyen n'utilise que 10 % de ses capacités. Il est temps de se risquer à utiliser ne serait-ce que 15 % de notre potentiel et d'apprécier les résultats. Travailler le calme vous amènera peut-être à faire preuve d'une meilleure écoute envers votre partenaire ; cela améliorera peut-être votre communication et votre relation de couple. Vous et votre partenaire vous sentirez plus proches, plus harmonieux et votre sexualité ne s'en portera que mieux !

Vous êtes à même de comprendre maintenant que la perception de soi influence votre façon d'être, votre estime de vous-même ainsi que vos rapports avec l'autre, tant sur le plan amoureux et sexuel que sur le plan des relations sociales. Dans le prochain chapitre, nous irons plus loin en parlant davantage de l'estime de soi, de son importance et des moyens de la renforcer.

Chapitre 2

Être mon meilleur ami

Qu'est-ce qu'un ami ? Certains disent qu'ils ont beaucoup d'amis alors que d'autres, plus conservateurs, disent qu'ils ont plusieurs connaissances, mais très peu de vrais amis. Les seconds ne sont pourtant pas moins sociables que les premiers.

Ce qu'il faut comprendre, c'est qu'il y a une grande différence entre une connaissance et un ami. Une connaissance, c'est une personne que l'on côtoie sur une base régulière ou non, avec qui on a des affinités et avec qui on partage de bons moments. Un ami, c'est une personne pour qui on éprouve un amour (au sens large du terme, bien entendu) presque inconditionnel, voire inconditionnel ; même si on est parfois en désaccord avec son attitude ou ses prises de position, on a beaucoup d'affection pour cette personne, on l'aime et on la respecte pour ce qu'elle est et non pour ce qu'on aimerait qu'elle soit. Avec un ami, on partage des valeurs, des bons moments mais aussi des épreuves. Bref, un ami, c'est quelqu'un sur qui on peut toujours compter, quoi qu'il arrive. Notre relation avec un ami est toujours caractérisée par un grand respect mutuel. Ma mère avait l'habitude de me dire que les vrais amis, on peut les compter sur les cinq doigts de la main. Et elle avait bien raison…

QUI SONT VOS AMIS ?

Alors, après avoir lu ces lignes, combien croyez-vous avoir d'amis ? Sûrement pas autant que vous le pensiez de prime abord. Prenez donc le temps d'écrire dans votre journal de bord le nom de ces amis si précieux et, en deux ou trois lignes, dites ce que vous appréciez de chacun. Rappelez-vous que ces gens sont une richesse dans votre vie, même s'ils ne peuvent pas toujours être disponibles. C'est pourquoi, même si vous avez des amis très proches, des personnes exceptionnelles qui vous entourent, vous devez vous rappeler que votre meilleur ami, c'est d'abord et avant tout vous-même. Autrement dit, vous devez devenir votre meilleur ami. Ouf! Devenir son meilleur ami...

Certaines personnes diront: «Mais je n'ai pas d'amis, donc je ne suis pas une personne intéressante, alors pourquoi voudrais-je être mon meilleur ami?» Parce que vous ne devriez pas avoir besoin de qui que ce soit pour savoir que vous êtes une bonne personne remplie de qualités, mais qui a aussi ses lacunes comme tout le monde.

J'ai parlé dans le chapitre précédent de l'importance de bien se connaître. Je répète ici qu'il faut le faire: notre meilleur ami, on le connaît bien et c'est ce qui fait qu'on l'apprécie autant; on sait voir au-delà de ses lacunes et souligner ses forces. On doit pouvoir faire la même chose avec soi-même. On n'exige pas la perfection de notre meilleur ami, alors pourquoi l'exigerait-on de soi-même? Mon père avait l'habitude de me dire: «La perfection n'est pas de ce monde.» Et il avait bien raison... On doit donc apprendre à s'aimer inconditionnellement, ce qui ne signifie pas se croire parfait et nier ses torts, bien au contraire. Cela veut dire s'aimer malgré ses défauts, ses lacunes, sans pour autant les accepter pour ce qu'ils sont, mais plutôt chercher à les dépasser pour devenir une meilleure personne, être davantage en harmonie avec soi et avec les autres. Il faut donc faire preuve d'amour et de compréhension face aux autres et, surtout, face à soi-même.

En effet, comment pourrait-on ressentir de la compassion pour les autres si on ne peut pas d'abord en avoir pour soi-même? Avoir de la compassion, c'est être capable de ressentir et de partager la peine de quelqu'un. Il faut être capable de le faire aussi pour soi. Notre meilleur ami sait être indulgent avec nous, il sait nous encourager. De la même façon, on doit apprendre à s'encourager soi-même et à se soutenir dans les moments difficiles. Parce que notre amitié avec une personne en particulier est très importante, on sait faire la paix avec cette personne, car on ne voudrait pas qu'elle sorte de notre vie à cause d'un désaccord, pas vrai ? Eh bien, il faut savoir aussi faire la paix avec soi-même, savoir se pardonner, reconnaître ses fautes et surtout essayer de les comprendre. Cela ne veut pas dire les excuser et blâmer tout le monde autour de soi. Non. Cela signifie plutôt tenter de mettre nos erreurs en contexte, faire preuve d'amour et d'indulgence face à notre comportement et prendre des résolutions pour s'améliorer. Rappelons-nous que nous sommes souvent notre juge le plus sévère.

UNE RENCONTRE AVEC SON MEILLEUR AMI

Prenez quelques instants pour écrire dans votre journal de bord deux situations récentes où vous avez commis une faute. Repensez à ces situations et, pour chacune, agissez comme votre meilleur ami : soyez plus compréhensif envers vous-même en considérant le contexte et tentez d'en tirer au moins une leçon pour éviter de commettre de nouveau la même erreur.

Prenons un exemple. Julie ressent de la jalousie dans sa relation avec Mathieu. La veille, quand Mathieu est revenu du travail plus tard que prévu, elle a crié et pleuré en l'accusant de l'avoir trompée. Ils se sont disputés et se sont couchés sans en avoir reparlé. Julie se sent très coupable ; elle se blâme en se disant qu'elle gâche une belle relation et qu'elle est vraiment idiote de ne pas pouvoir être comme tout le monde. Dans ce cas-ci, Julie tombe dans le piège de se blâmer et de se rabaisser, ce qui la fait se sentir encore plus mal et la met dans une position de plus grande vulnérabilité encore que précédemment. C'est parce qu'elle ne s'aime pas beaucoup et souffre d'insécurité qu'elle est jalouse. En adoptant cette attitude avec elle-même, elle ne fait que renforcer son problème.

Pour tenter de rehausser son estime d'elle-même, Julie tombe ensuite dans un second piège : elle rejette entièrement la faute sur Mathieu. Parce qu'il est rentré en retard et parce qu'il connaît son insécurité, elle le tient pour responsable de leur dispute et considère qu'il l'a fait exprès. Cette attitude est loin d'aider Julie, car elle ne lui permet pas de voir ce qu'elle pourrait améliorer pour tirer des leçons de cette expérience et cheminer.

Regardons ensemble la meilleure façon dont Julie pourrait gérer cette situation. Pourquoi a-t-elle fait preuve de jalousie ? Oui, Mathieu est arrivé en retard, mais cela fait partie des facteurs extérieurs qu'elle ne peut pas contrôler. En ce qui la concerne, elle, que s'est-il passé ? Elle doute d'elle-même et ne croit pas que Mathieu puisse l'aimer, puisqu'elle ne se trouve pas assez bien pour lui.

Il est vrai qu'il y a trois ans, avant qu'elle rencontre Mathieu, elle a fréquenté Thomas, qui était contrôlant et possessif avec elle, prenant un malin plaisir à la rabaisser. Après l'avoir isolée de sa famille et de ses amis et alors qu'elle n'avait plus que lui dans sa vie, il lui avait même dit : « Une chance que je suis là parce qu'il n'y a personne qui voudrait de toi. »

Julie se rappelle encore le bleu qu'elle a eu au cœur. Elle se met à pleurer, car elle comprend que cette relation passée l'affecte encore aujourd'hui. Elle prend alors la décision d'aller consulter une thérapeute pour surmonter sa peur du rejet et son manque de confiance en elle. Par la suite, cela ne l'empêchera pas d'expliquer sa réaction à Mathieu, de s'excuser, de lui parler de sa décision de consulter et de convenir avec lui d'un moyen qui leur permettra à l'avenir de mieux gérer les retards imprévus. Elle en tire aussi la leçon suivante : « Je dois apprendre à me faire confiance et à faire confiance à l'autre. »

Nous avons vu dans l'exemple précédent qu'il était difficile pour Julie d'aimer Mathieu comme il le mérite, car elle ne s'aime pas d'abord elle-même comme elle le mérite. Un vieux proverbe n'affirme-t-il pas qu'une charité bien ordonnée commence par soi-même ? Il est vrai que certaines personnes s'en servent à mauvais escient pour justifier leur égoïsme, mais il n'en demeure pas moins que, bien nuancé, ce proverbe nous rappelle que nous devons d'abord nous aimer nous-mêmes avant de penser à aimer qui que ce soit d'autre. Je crois que le manque d'amour pour soi-même et par conséquent le manque d'amour pour l'autre sont les premières causes de difficultés conjugales... Pensez-y ! Quand on aime l'autre sincèrement, on ne s'attarde pas à ses défauts, car on considère ses qualités comme beaucoup plus importantes. De plus, on n'essaie pas de convaincre l'autre d'être ce qu'il n'est pas ; on l'aime tel qu'il est.

Être votre meilleur ami, ce serait appliquer à vous-même la définition de l'amitié que j'ai donnée précédemment. En termes plus simples, sachez que, même si vous faites des erreurs, vous devriez vous aimer inconditionnellement, vous respecter, reconnaître vos valeurs et vous soutenir vous-même dans les épreuves. Si vous étiez capable d'être tout cela pour vous-même, alors vous ne dépendriez de personne et vous pourriez établir des relations beaucoup plus profondes et enrichissantes avec les autres, car vous seriez sans attentes. N'oubliez pas : vous êtes la personne la plus importante de votre vie.

LA DÉPENDANCE ET LES ATTENTES

Mes patients me disent souvent : « C'est bien beau d'être en harmonie avec soi, mais, moi, je veux être en harmonie avec les autres. » Pour cela, si vous m'avez bien suivie jusqu'ici, vous avez saisi qu'il faut d'abord apprendre à combler ses propres désirs et ses propres besoins pour ne plus être en attente. Ce n'est qu'à partir de ce moment-là qu'on ne vit plus de frustrations ni de déceptions dans nos relations avec les autres. En lieu et place, on ne peut que se demander : « Pourquoi me suis-je mis dans cette position de dépendance ? » Et le fait de trouver la réponse à cette question nous permet de mieux nous comprendre et de briser ce cycle de dépendance.

Revenons à l'exemple de Julie, qui dépend de Mathieu pour être rassurée sur sa valeur personnelle et confirmée dans son droit de recevoir de l'attention. En fait, elle n'a pas à mériter l'attention ; si Mathieu l'aime, il saura le lui démontrer. Cependant, Julie doit d'abord apprendre à s'aimer pour ne pas être en quête d'attention et paniquer lorsqu'elle n'en reçoit pas. Si elle arrive à combler ses besoins d'amour et d'attention en prenant soin d'elle-même, elle n'aura plus besoin de l'attention soutenue de Mathieu pour exister. Pour mieux se comprendre, elle pourra se demander ce qui la rend si dépendante dans cette relation. Elle finira sûrement par conclure qu'elle souffre d'un manque d'amour d'elle-même, et c'est là-dessus qu'elle aura à travailler ; en d'autres termes, elle devra comprendre ce qui l'a amenée dans sa relation antérieure, qui était marquée au sceau du contrôle, et ce qui l'a maintenue dans cette relation. À partir de cette prise de conscience, elle pourra grandir et se pardonner de s'être fait mal à elle-même en subissant l'attitude de son ancien partenaire. C'est en empruntant cette voie qu'elle pourra faire la paix avec son passé et avec elle-même, pour se concentrer sur le présent et avoir un regard positif vers l'avenir.

Ne plus être en attente, c'est la voie royale vers l'indépendance. C'est plutôt frustrant d'attendre en ligne afin d'obtenir un service quelconque, mais c'est le genre d'attente auquel nous devons nous résigner. L'attente vis-à-vis de l'autre dans une relation inter-personnelle est plus frustrante que l'attente dans une file, mais, celle-là, on peut la contrer en devenant plus indépendant. La présence des autres devient alors un plus dans notre vie.

Certains patients me disent : « Mais si je n'attends plus rien de personne, qu'est-ce que je vais faire ? Quels rapports avec les autres vais-je avoir ? » Ne plus être en attente ne veut pas dire ne plus avoir de relations avec les autres. Mais cela veut dire ne plus faire reposer sur les épaules des autres le poids de notre bonheur et de nos accomplissements. Quand on s'en remet aux autres sur ces plans-là, que fait-on s'ils nous critiquent ou s'ils ne sont pas disponibles ? On se déprécie ou on est dans l'impossibilité de concrétiser nos projets. Personnellement, c'est le genre de pouvoir sur ma vie que je ne voudrais donner à personne…

L'ANALYSE DE VOS ATTENTES

Prenez votre journal de bord et pensez à deux personnes vis-à-vis de qui vous nourrissez des attentes. Écrivez leur nom ainsi que les attentes que vous avez à l'égard de chacune d'elles, puis posez-vous les questions suivantes :

- Quels sont mes besoins derrière ces attentes ?
- Est-il juste de demander à cette personne de combler mes besoins et mes attentes ?
- Qu'arrivera-t-il si elle ne les comble pas ?
- Comment puis-je combler mes propres besoins et mes propres attentes ?

Prenons un exemple. Karine souhaite perdre du poids et s'inscrit dans un gym avec sa belle-sœur, Claudia. Après un mois, Claudia ne veut plus aller s'entraîner. Karine multiplie les coups de fil pour lui demander de venir s'entraîner avec elle, lui rappelant qu'elles ont payé cher leur abonnement et qu'elles ont besoin de faire de l'exercice pour être plus en santé. Rien à faire, Claudia est démotivée, elle a d'autres projets. Karine est découragée. Elle est fâchée contre sa belle-sœur et se plaint à qui veut l'entendre que c'est à cause d'elle qu'elle ne maigrit pas, qu'elle ne comprend pas comment Claudia a pu lui faire ça, alors qu'elle, elle s'est toujours efforcée de lui faire plaisir. Elle s'attend à ce que Claudia l'accompagne et la motive.

Nous pouvons voir dans cet exemple que Karine est totalement dépendante de Claudia et qu'elle la rend responsable de sa perte de poids, de son apparence et, plus encore, de sa santé. C'est un grand pouvoir qu'elle donne à Claudia sur sa vie : être en forme ou non, avoir une bonne santé ou non et avoir un loisir.

Karine devrait se rappeler les raisons personnelles qu'elle avait de s'inscrire dans un gym et devrait persévérer, avec ou sans Claudia, si c'est vraiment ce qu'elle souhaite. Vous me direz : « Évidemment qu'elle le souhaite ! Sinon, elle n'en ferait pas tout un plat ! » Eh bien, parfois, même si on dénonce une situation, il se peut qu'on en retire tout de même certains avantages, si on y pense bien.

LES BÉNÉFICES CACHÉS

Effectivement, il y a toujours des bénéfices à une situation, même lorsqu'elle est problématique. Le fait de les reconnaître nous aide à comprendre pourquoi il est parfois si difficile de se sortir d'une situation. Cette affirmation peut sembler plutôt obscure à première vue, mais elle deviendra plus claire si nous réexaminons l'exemple de Karine et Claudia. Karine peut retirer des bénéfices à blâmer Claudia de ne plus s'entraîner. Ainsi, aux yeux des autres et à ses propres yeux, ce n'est pas elle qui est démotivée et elle n'a pas à faire un surplus d'effort pour s'entraîner. C'est beaucoup plus simple de pointer l'autre du doigt et de pleurer sur son sort. Le fait que Karine n'aille pas s'entraîner par elle-même signifie que, dans sa situation, il y a davantage de bénéfices que d'inconvénients. Cela peut sembler difficile à admettre, mais lorsque Karine aura trouvé plus d'avantages à s'entraîner qu'à ne pas le faire, elle ira au gym par elle-même et travaillera du même coup son autonomie et son indépendance.

Retournez à l'exercice précédent dans votre journal de bord et déterminez les bénéfices que vous retirez des situations que vous avez décrites. Vous verrez qu'il y en a et qu'ils vous nuisent non seulement dans vos relations avec les autres, mais surtout dans votre recherche d'indépendance.

Maintenant que nous avons compris le principe de l'attente et des bénéfices qui peuvent en découler, voyons comment nous pouvons l'appliquer aux relations de couple et à la sexualité. Prenons l'exemple de Steve et Caroline. Steve adore voir ses amis.

Caroline, elle, a peu de champs d'intérêt en dehors de Steve. Elle est donc dépendante de lui pour faire des activités et passer du bon temps. En d'autres termes, elle est en attente. Steve ressent cette pression de la part de Caroline. Il sent qu'il doit choisir entre ses activités et sa copine qu'il aime beaucoup. Quand il voit ses amis, Caroline s'ennuie et ne sait pas quoi faire de son temps. À l'occasion, ils se disputent. Caroline reproche à Steve de la délaisser et lui, il la blâme d'être aussi dépendante. Quand Steve renonce à ses activités pour être avec Caroline, il s'en veut parfois, car il sait au fond de lui qu'il aimerait bien avoir du temps aussi pour lui. Ce couple pourrait très bien venir me voir en thérapie. Son problème est d'ailleurs plus complexe qu'il n'y paraît au premier abord, soit un meilleur partage du temps libre pour Steve. Il s'agit d'un couple fusionnel. Steve et Caroline ne devraient pas avoir besoin des autres pour se distraire et passer du bon temps. Ils doivent tous deux apprendre – Caroline, surtout – à donner la priorité à une amitié avec eux-mêmes plutôt que de chercher constamment les contacts avec les autres. Ils se définissent à travers leur couple et leurs amis, ce qui peut les empêcher de savoir qui ils sont au plus profond d'eux-mêmes. En surinvestissant le couple et les amis sans s'accorder du temps à eux-mêmes, ils s'ancrent davantage dans la fusion, ce qui risque de leur faire adopter les attitudes et les opinions qu'ils considèrent comme conformes aux souhaits des autres. Ils vont donc changer régulièrement selon les gens qu'ils fréquentent et s'éloigner de plus en plus du principe de l'accord avec soi-même. Ce principe est pourtant fondamental au bien-être de l'individu et du couple ainsi qu'à l'harmonie sur le plan sexuel.

Quels bénéfices y a-t-il à former un couple fusionnel ? Peut-être que Steve et Caroline comblent des besoins qui n'ont pas été comblés dans leur enfance. Peut-être sont-ils sécurisés par la présence constante de l'autre, qui leur donne l'impression d'exister et d'être importants, alors qu'au contraire il est important de ne pas dépendre du regard de l'autre. Ils ont à mesurer si, pour eux, les bénéfices dépassent les inconvénients; si tel est le cas, c'est probablement la raison pour laquelle ils forment toujours un couple fusionnel.

Pourtant, les inconvénients à former un couple fusionnel sont beaucoup plus importants. La fusion est la voie royale vers la dépendance… Dépendre du regard de l'autre, de son approbation, de sa présence, de ses opinions et de son amour pour exister, c'est donner beaucoup de pouvoir à l'autre, car cela équivaut à ne pas exister sans l'autre.

Imaginons maintenant la sexualité de ce couple. Si Caroline a besoin d'être avec Steve pour être heureuse, il y a de fortes chances pour que sa sexualité dépende aussi de lui. Ainsi, s'il est présent, affectueux, tendre, amoureux et lui démontre de l'intérêt sexuel, la sexualité devrait être satisfaisante. Par contre, s'il s'absente dans la journée ou n'est pas aussi démonstratif qu'elle le souhaiterait, il est possible que Caroline n'ait pas de désir ou de plaisir sexuel, car sa sexualité, tout comme son état d'esprit, dépend de Steve. Sans s'en apercevoir, elle lui donne beaucoup de pouvoir: pouvoir de la rendre heureuse ou malheureuse, pouvoir de la faire se sentir belle, laide, désirable ou non désirable, etc. Alors, même si ce couple variait ses positions sexuelles ou allait dans une boutique érotique pour intégrer de nouveaux gadgets à sa sexualité, il y a fort à parier que ses problèmes subsisteraient, d'où l'importance d'aller à la source des problèmes pour les traiter en profondeur, plutôt que de chercher des solutions faciles à des situations complexes.

Être en état de dépendance et ressentir une absence ou un manque de contrôle est à l'origine de bien des problèmes de désir, d'anorgasmie et de douleur sexuelle chez les femmes qui me consultent. En effet, elles sentent souvent qu'elles n'ont pas de contrôle dans leur vie de couple, car elles dépendent trop de leur conjoint, de ses prises de décision, de ses horaires, etc. Elles sont frustrées. Elles ont l'impression, inconsciemment, que le seul endroit où elles peuvent récupérer un certain contrôle, c'est dans la chambre à coucher. Ainsi, elles sont rigides dans leur disponibilité sexuelle, c'est-à-dire qu'elles évoquent beaucoup de raisons pour éviter les rapprochements sexuels et, s'il y en a, elles dictent comment ils doivent avoir lieu. Elles ont beaucoup de difficulté à laisser de l'initiative à l'autre, «qui en a déjà bien assez dans leur couple», se disent-elles. Elles ne peuvent pas se laisser aller, même si c'est un ingrédient essentiel à une sexualité épanouie.

En travaillant leur estime d'elles-mêmes, ces femmes seraient plus confiantes, moins dépendantes de l'homme, et elles apprécieraient les moments de séparation de l'autre pour ce qu'ils sont : des moments privilégiés de solitude et de rencontre avec elles-mêmes. Les moments sexuels deviendraient des moments de rencontre privilégiés dans leur couple où ils échangeraient amour, complicité et plaisir, plutôt que d'être un lieu où se rejouent des frustrations extérieures qui n'ont pas été exprimées ou entendues. Comme vous pouvez le constater, la sexualité est beaucoup plus complexe qu'une simple partie de jambes en l'air !

Vos attentes envers votre partenaire
Prenez quelques instants pour répondre aux questions suivantes dans votre journal de bord :

- Suis-je en attente face à mon partenaire ?
- Ai-je besoin de son approbation ?
- Est-ce que j'évoque des raisons extérieures pour ne pas faire l'amour ?
- Est-ce que la qualité de ma vie de couple influence ma sexualité ?
- Suis-je plutôt passif dans ma sexualité ?

Si vous avez répondu «oui» à la majorité de ces questions, demandez-vous si vous n'êtes pas dépendant de l'autre personne et quels sont les bénéfices à cette situation. Enfin, cherchez des solutions de rechange pour ne plus être en attente.

S'AIMER SOI-MÊME, SE CHOISIR ET SE RESPECTER

Que l'on parle d'être son meilleur ami, d'être indépendant ou d'être sans attentes, on revient toujours au principe de différenciation, à l'opposé de la fusion : être un individu à part entière, accepter et valoriser notre différence ainsi que celle de l'autre, valoriser nos propres choix. En d'autres termes, on parle d'être résolument soi-même.

Cela nous ramène à l'importance de s'aimer et de se choisir d'abord et avant tout. Si je m'aime, je crois que je mérite ce qu'il y a de mieux, et alors je ferai mes choix en conséquence. Je ne resterai pas dans une relation qui me fait du mal, je ne dirai pas « oui » quand je pense « non », je n'accepterai pas d'être rabaissé ou diminué par qui que ce soit et, surtout, je deviendrai ma priorité. Quand j'aurai une décision à prendre, je me demanderai ce que je veux vraiment. Si je suis en accord avec moi-même, alors seulement je peux être en accord avec les autres. Autrement dit, si je suis heureux parce que je fais des choix qui me respectent, les autres autour de moi seront heureux puisqu'ils bénéficieront de mon rayonnement et de mon exemple. Certaines personnes diront : « Oui mais un couple, c'est formé de deux personnes, et donc, il faut faire des compromis. » À cela, je répondrai : « Êtes-vous heureux lorsque vous faites des compromis ? »

L'exemple suivant vous fera comprendre toute l'absurdité potentielle du compromis. Supposons qu'un couple vient me voir parce que monsieur et madame n'ont pas le même désir sexuel. Monsieur aimerait avoir trois relations sexuelles par semaine et madame, au maximum une par semaine. Si je me pliais à la logique du compromis, je devrais leur dire : « Faites un compromis ! Ayez deux relations sexuelles par semaine. » Ne serait-ce pas absurde ? Quelqu'un serait-il satisfait ? Madame serait frustrée et se sentirait obligée de s'exécuter pour « satisfaire » son conjoint. Monsieur serait frustré, car il n'aurait pas ses « trois fois par semaine » et sentirait que madame « se force » pour se plier au compromis. Peu de plaisir en perspective, n'est-ce pas ?

Donc, plutôt que de chercher le compromis, on doit identifier les raisons personnelles derrière nos choix et les exposer à notre partenaire sans peur du jugement ; de son côté, il doit être capable de la même maturité. Après, seulement, on le comprendra mieux et on adoptera peut-être un point de vue différent qui ne sera pas issu d'un compromis, mais nous donnera une perspective entièrement nouvelle parce qu'on aura compris des choses sur soi-même et sur l'autre. On aura cheminé ensemble. En fait, lorsqu'on interagit avec autrui, on doit être à même d'affirmer ses limites personnelles. C'est une preuve de respect de soi et ça amène l'autre à nous respecter. En effet, si je ne me respecte pas, comment puis-je exiger que les autres me respectent ? C'est d'ailleurs une des plaintes que j'entends le plus souvent dans mon travail : « Untel ne me respecte pas. » Et moi, je réponds : « Que faites-vous pour qu'il vous respecte ? »

Prenons un exemple. Votre frère vient vous rendre visite régulièrement. Quand il entre, il se prend d'abord une bière dans votre réfrigérateur et s'installe ensuite sur votre divan. Même si cette habitude vous déplaît énormément, vous ne dites rien, car vous ne voulez pas le froisser. Un jour, il s'invite à souper avec sa femme et ses enfants et se permet de critiquer sévèrement votre cuisine. Vous pouvez vous plaindre à d'autres que votre frère ne sait pas se comporter et qu'il ne vous respecte pas, mais avez-vous mis vos limites ? La réponse est non. Vous l'avez laissé prendre tout l'espace qu'il voulait et là, vous êtes malheureux. Certaines personnes empiètent sur notre territoire jusqu'à ce qu'on leur dise : « Holà ! Ça suffit ! », tandis que d'autres gardent une certaine réserve. Cependant, comme on ne peut habituellement pas prévoir le comportement des gens, la meilleure tactique consiste à se connaître suffisamment pour savoir ce que l'on veut et ce que l'on ne veut pas (voir chapitre 1), et à s'aimer suffisamment pour mettre en application ses désirs et ses limites avec les autres. Et, vous savez, les gens ne vous aimeront pas moins parce que vous leur fixerez des limites. Au contraire ! Ils apprendront à les connaître et à les respecter. Vos rapports avec eux s'en trouveront améliorés, car vous n'aurez plus à endurer la frustration de ne pas être respecté.

Je dis souvent à mes patients que l'on n'est pas si différent dans la vie qu'au lit. Prenons l'exemple de Jacinthe, qui est enragée contre Hugo parce que la façon dont il la caresse sexuellement lui fait mal. Après trois ans de vie sexuelle partagée, elle ne le lui a jamais dit ! Imaginez à quel point elle doit s'interdire de fixer des limites dans sa vie pour accepter d'avoir mal depuis trois ans ! Elle en est au point où elle n'éprouve plus de désir sexuel pour Hugo. En fait, elle a du désir, mais elle est tellement fâchée qu'elle ne peut pas le ressentir et le vivre. Si Jacinthe arrive à en parler à Hugo, tous deux pourront faire un bon bout de chemin. Elle aura appris à s'affirmer et pourra travailler sa douleur sexuelle en thérapie individuelle. Le couple communiquera davantage et profitera probablement d'une sexualité beaucoup plus satisfaisante.

Les gens qui me consultent viennent la plupart du temps pour un problème sexuel. Plusieurs ont de la difficulté à voir que la sexualité fait partie d'un tout chez l'être humain et n'est pas enfermée dans une boîte à part. Donc, même si le problème pour lequel ils viennent consulter est sexuel, il n'en demeure pas moins que tout leur corps est affecté et que les origines du problème peuvent se trouver dans la sexualité, mais aussi ailleurs. Comme je l'ai souligné dans le chapitre précédent, il y a un lien entre le corps, l'esprit et l'émotion. Si l'un des trois est affecté, il influencera les deux autres, immanquablement. Donc s'aimer, c'est favoriser le dialogue entre le corps, l'esprit et l'émotion afin de trouver un équilibre. Chacune de ces sphères a son importance; si l'une domine les autres, il y a un déséquilibre qui peut amener bien des problèmes dans différents aspects de la vie, dont la sexualité.

Prenons un exemple. Charles me consulte parce qu'il souffre d'éjaculation précoce. En thérapie, il parle beaucoup. Il raconte ce qu'il vit, dans les détails, et ajoute parfois ses propres commentaires. J'ai de la difficulté à l'interrompre. Il parle tellement qu'il m'étourdit et ne s'en rend pas compte. Dans son cas, son esprit domine nettement son émotion. Il est aussi très peu en contact avec son corps, dans le sens où il s'en occupe peu; il ne fait pas d'activité physique, saute souvent des repas et manque de sommeil. Mais selon lui, ce n'est pas le problème. Il veut apprendre à retarder le moment de son éjaculation.

Comme il serait facile de lui enseigner une technique! Toutefois, à court terme, les choses ne s'amélioreraient pas du tout pour lui et il perdrait de plus en plus sa confiance en soi. Il doit plutôt retrouver un équilibre, c'est-à-dire laisser un peu de côté son activité mentale pour prendre soin de son corps, qui est tout de même son véhicule. Ensuite, il doit apprendre à ressentir ses émotions. Au bout du compte, il pourra sentir la montée de l'excitation sexuelle et mieux la contrôler. J'ai voulu par cet exemple illustrer l'importance de l'équilibre dans tout, et particulièrement dans la sexualité. J'y reviendrai dans les prochains chapitres.

En résumé, je dirais que l'essentiel c'est d'abord et avant tout de s'aimer soi-même, de devenir son meilleur ami. De cette attitude découlent de meilleures relations avec les autres et une sexualité plus satisfaisante, car s'aimer, c'est aussi être en relation avec soi, une étape incontournable pour ressentir le désir et le plaisir, thèmes du chapitre suivant.

Chapitre 3

Être pour ressentir le désir
et le plaisir

Être, c'est d'abord et avant tout exister, se sentir en contact avec son essence, avec ce que l'on est au plus profond de soi-même et que l'on est seul à connaître. L'être ne peut exister sans l'esprit et la pensée. Comme nous le rappelle Descartes avec son immortelle formule « Je pense, donc je suis », nos pensées façonnent nos comportements et nos attitudes ; elles sont le reflet de notre être profond. Il n'est pas facile d'être ce que l'on est, car cela exige la fidélité à ce qu'on a toujours été ainsi que le courage de devenir soi-même et de s'affirmer.

« Être », ici, est en opposition avec « faire », qui signifie mettre en œuvre ou mettre en action. Dans notre société, le « faire » est beaucoup plus valorisé que l'« être ». D'ailleurs, l'une des premières questions que l'on pose en faisant connaissance avec quelqu'un n'est-elle pas : « Que fais-tu dans la vie ? » En d'autres termes, on cherche à savoir rapidement quel emploi occupe notre nouvel interlocuteur. Et il y a pire : on le juge selon son travail. Ainsi, on se définit beaucoup plus par ce que l'on fait que par ce que l'on est.

Vous me direz qu'il n'est pas évident de parler de soi à des étrangers, et je ne peux qu'être d'accord avec vous, même que, si on le fait, la plupart des gens trouvent cela étrange. Le problème vient du fait que la valorisation accordée au faire plutôt qu'à l'être nous amène généralement à perfectionner notre savoir-faire plutôt que notre savoir-être. Par conséquent, souvent, on se connaît très peu soi-même et on n'y voit aucun problème. On mène ainsi sa vie pendant des années, jusqu'à ce qu'un problème vienne déstabiliser l'équilibre que l'on croyait avoir atteint.

En ce qui me concerne, la grande majorité des gens qui me consultent pour un problème sexuel veulent que je leur enseigne un savoir-faire : Comment avoir du désir pour mon partenaire ? Comment retenir mon éjaculation ? Comment avoir plus d'orgasmes ? Comment contrôler ma douleur pendant les relations sexuelles ? Et ainsi de suite. Très peu se demandent ce qui cause leurs difficultés, une question pourtant primordiale. Ceux qui se la posent cherchent à identifier des facteurs extérieurs à eux-mêmes : le stress, la présence des enfants, la fatigue, la routine, etc., alors que la véritable question et ses réponses se trouvent plutôt à l'intérieur d'eux-mêmes, dans les replis profonds qu'ils n'osent pas souvent aller visiter.

VOS DIFFICULTÉS ACTUELLES

Prenez votre journal de bord et nommez trois difficultés que vous vivez en ce moment. Analysez chacune de ces difficultés en répondant aux questions suivantes :

- Quels facteurs extérieurs sont responsables de ma difficulté ?
- Quels facteurs intérieurs (blocages émotionnels, peurs, blessures du passé, attentes élevées, pensées rigides, etc.) sont responsables de ma difficulté ?
- Qu'est-ce que je fais ou ne fais pas qui cause ma difficulté ?
- Qu'est-ce que je pourrais changer pour améliorer mes difficultés ?
- Quelles actions pourrais-je prendre pour améliorer mes difficultés ?

Notre savoir-être influe directement sur notre savoir-faire ; ainsi, un seul déficit sur ce plan affecte notre savoir-faire. Par conséquent, à partir du moment où l'on a une juste connaissance de son être (voir chapitre 1), on est à même d'améliorer notre savoir-être qui, éventuellement, aura un impact sur notre savoir-faire tel qu'on l'aura soi-même défini, et non tel que la société nous le dicte. On valorise souvent la compétition, le fait d'être le meilleur dans tout, on se compare aux autres et on est malheureux; le fait de donner la priorité au savoir-faire au détriment du savoir-être nous amène là, inévitablement. On se met soi-même en échec.

Dans la sexualité, la valorisation du faire est l'une des premières causes d'échec. La sexualité n'étant pas un bien de consommation, on ne peut pas la considérer comme quelque chose que l'on doit accomplir selon un certain rituel, d'une certaine façon, et y voir une quelconque occasion d'accomplir une performance. Cette vision entraîne bien des maux de tête et des déceptions. À trop rester dans le faire, on oublie l'être. Notre définition de soi-même devient très extérieure, donc d'autant plus fragile.

Ainsi, par exemple, Michel ne se sent plus homme depuis qu'il a des difficultés érectiles avec sa femme. Sa confiance en lui est grandement affectée. Il ne peut pas expliquer pourquoi c'est arrivé la première fois et, depuis, il a de plus en plus de difficultés. Il devient chaque fois plus anxieux, se sent complètement démuni et cherche des exercices qui l'aideront à renouveler ses performances d'avant. On voit bien dans son cas comment un problème sexuel vient complètement modifier sa façon de se percevoir. Michel se diminue, ce qui ne fait qu'aggraver le problème. Il a accordé beaucoup trop d'importance au savoir-faire. Avant, il se considérait comme un homme et comme un excellent amant : il savait comment donner du plaisir aux femmes ! Maintenant, il est anéanti et a des symptômes dépressifs. Ce cas illustre bien les dangers de la valorisation du savoir-faire au détriment du savoir-être.

Le savoir-être consiste en une attitude de disponibilité à l'égard de soi-même. N'oubliez pas ce que nous avons vu au chapitre 2 : vous êtes la personne la plus importante de votre vie. Au besoin, parcourez de nouveau le chapitre précédent avant de poursuivre votre lecture.

SE RENDRE DISPONIBLE À SOI-MÊME

Avant d'être disponible aux autres, on doit d'abord être disponible à soi-même. Et c'est seulement lorsqu'on se donne ce temps et cette écoute de soi-même que l'on est en mesure de se rendre disponible à l'autre. Avoir cette écoute de soi-même permet de ressentir les choses, les choses agréables et moins agréables, les belles et les moins belles. Malheureusement, on ne peut pas choisir de ressentir seulement les émotions agréables et faire fi des émotions moins agréables. On ressent ou on ne ressent pas. Lorsqu'on ne ressent pas les émotions ni les gens, non seulement on n'est pas disponible à soi-même, mais on ne peut pas davantage ressentir le désir et le plaisir. Donc, la question n'est pas : « Comment puis-je avoir du désir ? », mais plutôt : « Comment puis-je ressentir le désir ? ». La première question fait référence au désir que l'on obtiendrait en recourant à un moyen extérieur, alors que la seconde renvoie au désir que l'on ressent grâce à une connexion avec l'intérieur, la profondeur de son soi.

Dans un premier temps, la disponibilité à soi-même qui est nécessaire pour ressentir le désir et le plaisir doit se concrétiser, c'est-à-dire qu'elle doit se traduire par un aménagement du temps que l'on passe seul à seul avec soi-même. En d'autres termes, elle exige que l'on prenne un rendez-vous avec soi-même. Cela peut sembler ridicule pour certains, mais imaginons, par exemple, deux conjoints qui s'étourdissent littéralement dans plusieurs activités tout au long de la semaine. Leur vie est ainsi semaine après semaine. Ils veulent éprouver plus de désir l'un pour l'autre et avoir des relations sexuelles, mais ils n'ont même pas le temps de s'asseoir et de se dire bonjour. Alors imaginez le temps qu'ils s'accordent individuellement à eux-mêmes : nul ! Avant même de parler de sexualité, il faudrait qu'ils comprennent que l'essoufflant tourbillon dans lequel ils se projettent ne leur permet pas de ressentir quoi que ce soit, désir sexuel compris. Cette prise de conscience pourrait grandement changer les choses pour eux.

Donc, après s'être assuré que l'on a suffisamment de temps à s'accorder, il est important d'établir un dialogue avec soi-même. Il s'agit de faire le point régulièrement sur ce qui nous convient et ce qui ne nous convient pas dans notre vie, ce qui nous amènera à faire des choix – sujet qui sera abordé dans le prochain chapitre. Durant ce moment de disponibilité physique, soit le temps qu'on s'accorde à soi-même, on peut travailler sa disponibilité affective, donc ressentir les belles comme les moins belles choses, pour, par la suite, s'interroger sur la source intérieure de chacune.

N'oubliez pas ! Il est facile de trouver des facteurs extérieurs afin d'expliquer nos problèmes, mais il est moins facile d'identifier des éléments de notre être (pensées, perceptions, expériences, attentes) qui contribuent aux difficultés que l'on éprouve. Quand on est capable d'établir le contact avec notre soi profond à travers notre quotidien, nos joies, nos peines et nos frustrations, on est amené à ressentir le désir. Dans un premier temps, le désir se vit comme n'importe quelle autre émotion et, dans un deuxième temps, il s'exprime, si on le souhaite.

Un regard sur vos émotions

Dans votre journal de bord, écrivez les émotions suivantes : colère, tristesse, culpabilité, joie, calme et bien-être. À côté de chacune, écrivez un des trois mots suivants : souvent, parfois, rarement, selon que vous viviez l'émotion concernée souvent, parfois ou rarement. En considérant chacune des émotions une à une, décrivez au moins une situation où vous l'avez ressentie, puis, répondez aux questions suivantes :

- Quelles sont les émotions que je ressens le plus souvent ? Le plus rarement ?
- Qu'est-ce qui affecte davantage mes émotions : les autres ou moi-même ?

Rappelez-vous que vous vous faites vivre vos propres émotions par la façon dont vous voyez les événements. Au besoin, retournez au chapitre 2 pour aller plus loin dans votre réflexion.

En résumé, vous devez avoir pour vous-même une disponibilité physique suffisante pour vous donner un rendez-vous afin de passer un moment privilégié avec vous-même dans un endroit calme. Cette disponibilité physique favorisera la prise de contact avec une disponibilité affective qui vous permettra de ressentir différentes choses, lesquelles vous connecteront à toutes sortes d'expériences et de personnes. Finalement, cette disponibilité affective ouvrira la voie à une disponibilité sexuelle dans laquelle vous serez réceptif tant à ce qui émergera comme désir en vous qu'à ce que votre partenaire fera surgir. Bien évidemment, après un certain temps, vous n'aurez plus besoin de vous isoler pour ressentir les choses. Vous arriverez à avoir une disponibilité physique et affective à même votre quotidien. Autrement dit, vous arriverez à ressentir les émotions même si vous êtes en train de faire quelque chose ou de communiquer avec quelqu'un. Il en ira de même pour votre disponibilité sexuelle. Par contre, rappelez-vous que, sans disponibilité physique et affective, il est très difficile d'avoir une réelle disponibilité sexuelle.

La disponibilité nécessaire à une sexualité épanouie avec notre partenaire passe par les mêmes étapes. À partir du moment où nous savons être disponibles à nous-mêmes, nous savons être disponibles à l'autre. Nous devons d'abord avoir une disponibilité physique qui nous permet de partager du temps de qualité, des activités que l'on aime, des baisers et des caresses. Cette disponibilité physique conduit tout naturellement à une disponibilité affective qui fait en sorte que nous exprimons des parties de nous-mêmes, que nous nous sentons accueillis et aimés. À son tour, cette disponibilité affective mène à la disponibilité sexuelle, grâce à laquelle les deux partenaires se mettent mutuellement à l'écoute de leurs désirs, de leurs attentes et de leurs limites. Encore une fois, avec le temps, la disponibilité physique n'aura plus à être aussi élaborée. Il pourra suffire, à certains moments, d'une caresse furtive pour amener une petite ouverture sur la disponibilité affective s'exprimant par une déclaration tendre telle que : « Je suis vraiment bien avec toi » pour mener à des étreintes qui se prolongeront jusqu'au lit ou ailleurs...

SEXUALITÉ ET DÉSIR

Depuis le début du chapitre, nous avons vu l'importance d'être là, disponible à soi puis disponible à l'autre pour ressentir le désir. Nous allons maintenant examiner ce qu'est le désir, mais avant tout, je vais tenter de définir la sexualité, car il est plus facile de savoir si l'on désire quelque chose quand on connaît l'objet de notre désir. On n'a qu'à penser au voyage, par exemple. Depuis que j'ai vu des reportages sur la Thaïlande à la télé, je souhaite y aller, alors que ça ne me disait rien auparavant, puisque j'ignorais ce qu'il y a de beau dans ce pays. Selon la même logique, on peut dire qu'il vous sera plus facile de déterminer votre niveau de désir sexuel si vous savez plus précisément ce qu'implique la sexualité.

Plusieurs définitions existent, mais j'aime bien celle-ci : « [...] le sens de la sexualité inclut la génitalité mais ne se limite pas à la génitalité. La sexualité comprend aussi les activités sensorielles et sensuelles, les expressions affectives, l'acceptation de soi et de l'autre comme êtres sexués, ce qui implique ouverture et communication[3]. » La génitalité, quant à elle, renvoie aux organes sexuels, à leur stimulation et au plaisir que l'on peut en retirer.

Nous voyons par ces définitions que les gens ont souvent une première demande pour améliorer leur génitalité, leur fonctionnement sexuel presque machinal, ce que j'ai appelé précédemment le « faire », alors qu'au fond la plupart recherchent plutôt une amélioration de leur sexualité, qui englobe prioritairement

---

3.   D. Badeau et A. Bergeron, *Santé sexuelle et vieillissement : pour une approche globale de la sexualité des adultes âgés*, Montréal, Les Éditions du Méridien, 1997, p. 58.

tout un savoir-être. Plusieurs me diront: «C'est bien beau votre savoir-être et votre savoir-faire, mais comment est-ce relié au désir et au plaisir?»

J'estime qu'il y a deux types de désir: le désir individuel et le désir relationnel. Les gens qui viennent me consulter souffrent souvent d'un manque de désir relationnel, mais ils ont tout de même un désir individuel. Le désir individuel comprend les fantasmes, les rêves érotiques, l'intérêt pour la littérature ou le cinéma érotiques, l'attraction physique pour d'autres personnes connues ou inconnues, l'attrait pour des bars de danseurs ou de danseuses érotiques, le goût de la masturbation, etc. Quant au désir relationnel, il s'agit de l'attrait physique, sensuel et sexuel qu'on éprouve pour son partenaire.

Par conséquent, la première question à se poser est la suivante: «Est-ce que je ressens du désir en général (individuel) et est-ce que je ressens du désir pour mon partenaire (relationnel)?» Prenez le temps d'y répondre dans votre journal de bord.

Comme vous l'aurez sans doute remarqué, j'ai mis l'accent sur le fait de ressentir, car en ce qui a trait au désir individuel aussi bien qu'au désir relationnel, la question est de ressentir, d'être en contact avec ce désir.

Prenons l'exemple de Diane, qui consulte parce qu'elle n'a pas de désir, selon elle. Quand je lui demande si elle regarde parfois les hommes dans la rue, elle me répond qu'elle n'oserait pas, car elle est mariée. Quand je m'informe de ce qui pourrait lui arriver de pire si elle le faisait, elle dit qu'elle pourrait fantasmer sur un de ces hommes et qu'elle se sentirait infidèle à son mari, en pensées. Diane a-t-elle au fond d'elle-même du désir individuel? La réponse est oui. Est-elle en contact avec ce désir ou, si vous préférez, ressent-elle ce désir? La réponse est non, elle se bloque de ressentir quoi que ce soit par principe, par sens moral. Elle ne se donne pas la permission de regarder un autre homme. Je crois qu'en premier lieu elle devra apprendre à ressentir le désir, qui est une pulsion tout à fait naturelle; par la suite, il lui appartiendra de choisir ce qu'elle veut faire de son désir. Elle pourrait par exemple s'autoriser à regarder les hommes attrayants dans la rue, fantasmer sur d'autres hommes que son conjoint, etc. Tout cela renvoie à la notion de choix dont je reparlerai dans le prochain chapitre.

Si Diane se permet de ressentir du désir pour quelqu'un d'autre, elle fera un pas vers le désir relationnel. Pourra-t-elle élargir son désir pour d'autres hommes à son conjoint? Qu'est-ce qui l'empêche de ressentir du désir pour son conjoint? Diane pourra explorer ces questions et bien d'autres en thérapie individuelle.

Il est donc primordial de déterminer si on a du désir, si on ressent le désir et si on est capable de l'exprimer, verbalement ou physiquement. Mon expérience de thérapeute m'a démontré que bien des gens croient qu'ils n'ont pas de désir sexuel, alors que le problème se situe plutôt dans leur incapacité à ressentir leur désir, donc à être en contact avec celui-ci, et à l'exprimer.

LES OBSTACLES AU DÉSIR

Il est vrai que le désir individuel peut être influencé par plusieurs facteurs extérieurs reliés au passé et au présent. Cependant, il faut se rappeler que chacun réagit différemment à un facteur donné. Ainsi, plusieurs personnes peuvent être ou avoir été soumises aux mêmes facteurs sans pour autant souffrir d'un manque de désir sexuel. Pourquoi? En grande partie parce que celles qui souffrent d'un manque de désir sexuel ont, souvent de manière inconsciente, intériorisé ces facteurs extérieurs et se les sont appropriés. Pour surmonter leur difficulté, elles doivent prendre conscience des expériences ou des événements qu'elles ont intégrés et refoulés. Dans le chapitre 8, intitulé « Ce que votre inconscient peut vous révéler », je me pencherai plus longuement sur la nature de l'inconscient, les secrets qu'il renferme et la manière d'y avoir accès. Pour l'instant, examinons quelques-uns des facteurs extérieurs du passé dont l'intériorisation peut souvent empêcher la personne de ressentir et d'exprimer du désir sexuel.

Une éducation globalement très stricte et conservatrice. Une fois que la personne a intégré les valeurs et les principes de ce genre d'éducation, elle définit le type de désir qu'elle juge moralement acceptable et peut même en arriver à considérer le désir comme quelque chose de mal puisqu'il conduit au plaisir du corps.

Des messages qui condamnent la sexualité. Les personnes qui intériorisent des messages affirmant que la sexualité ou certaines formes de sexualité sont condamnables se retrouvent coincées entre ce qu'elles ressentent intimement et le jugement qu'elles portent sur elles-mêmes. Elles peuvent refouler leurs pulsions et leurs désirs. Certaines disent même qu'en rêve elles voient leurs parents dans leur chambre à coucher, tellement elles ont intégré les interdits parentaux.

Une mère qui n'aime pas la sexualité et tient un discours négatif sur les hommes. Souvent, la petite fille écoute beaucoup sa mère, car elle est son premier modèle de femme – ce qui ne veut pas dire qu'elle est un bon modèle (j'y reviendrai au chapitre 10). Aux yeux du petit garçon, la mère qui déprécie les hommes rejette aussi ce qu'il est, car, un jour, il sera un homme lui aussi. Il peut ainsi refouler son désir, car, étant jeune, il a appris que les femmes n'aiment pas la sexualité (discours de la mère) et qu'il ne devait pas être entreprenant.

Un père qui aime trop les femmes ou qui exprime son désir de manière flagrante. La petite fille qui voit son père flirter ouvertement avec d'autres femmes devant sa conjointe peut développer un dégoût des hommes. Ayant vu son père exprimer ouvertement du désir pour un grand nombre de femmes, sans préserver son image familiale, elle peut en arriver à croire que les hommes ne s'intéressent qu'à la sexualité.

Quant au petit garçon qui voit son père exprimer son désir de manière aussi ouverte, il peut en concevoir une réaction de rejet à l'égard du désir sexuel. À l'inverse, un père qui n'exprime pas de désir ou ne valorise pas la sexualité n'est pas non plus un bon modèle pour son garçon.

Une expérience d'agression sexuelle. Pour un enfant, garçon ou fille, ce genre d'expérience a pu laisser des traces, notamment du dégoût envers la sexualité et le sentiment d'être au service sexuel d'une autre personne. La solution pour certaines victimes d'agression sexuelle est de vouloir s'affranchir en rejetant la sexualité, tandis que d'autres vivent une sexualité compulsive et débridée dans laquelle ils reproduisent le scénario d'abus soit en se mettant au service sexuel de leur partenaire, soit en lui dictant son comportement sexuel, avec son consentement, bien sûr. Je dois préciser que la sexualité compulsive est davantage une conséquence chez les hommes qui ont été agressés sexuellement dans leur enfance que chez les femmes ayant subi un sort semblable.

Le dénigrement sexuel. La personne qui a été dénigrée sexuellement parce qu'elle manquait d'expérience ou, au contraire, parce qu'elle se laissait aller totalement, sans penser au jugement de l'autre, peut rejeter la sexualité ou ne pas exprimer son désir par peur d'être ridiculisée de nouveau.

Je pourrais évoquer bien d'autres facteurs, mais ceux que je viens de décrire brièvement donnent déjà un bon aperçu des sources de difficultés les plus courantes.

VOS OBSTACLES PERSONNELS

Dans votre journal de bord, reprenez chacun des facteurs extérieurs décrits précédemment et demandez-vous s'ils vous touchent ; le cas échéant, expliquez de quelle façon. Ensuite, ajoutez d'autres facteurs de votre passé qui sont susceptibles d'avoir influencé votre sexualité.

Parmi les facteurs extérieurs du présent, il pourrait y avoir : le stress au travail, la présence des enfants, la fatigue, les conflits avec le partenaire, le manque de temps, etc. Écrivez quels facteurs présents peuvent influencer votre sexualité.

Maintenant, repensez au fait que l'important, en réalité, ce ne sont pas tellement les facteurs extérieurs, mais ce que la personne en fait, c'est-à-dire jusqu'à quel point elle les intériorise et les voit comme des éléments qui peuvent nuire à son épanouissement sexuel. Autrement dit, plusieurs personnes ont eu une éducation stricte et rigide, mais elles n'éprouvent pas toutes des problèmes sexuels. Certaines reconnaissent qu'elles ont eu ce type d'éducation, mais elles ne souhaitent pas continuer dans cette voie. Elles se sont affranchies des valeurs que leurs parents leur avaient inculquées et ont conçu leur propre système de valeurs. En d'autres mots, elles se sont différenciées.

DIFFÉRENCIATION ET FUSION

La différenciation s'oppose à la fusion. Quand je fusionne avec un partenaire, je pense comme lui et je vis les choses comme lui : mon partenaire et moi ne faisons qu'une seule et même personne. Cela peut entraîner plusieurs problèmes, car je n'ai plus ma propre façon de penser et je risque d'être en réaction chaque fois qu'il me fera une remarque, car je serai dépendante de lui. La fusion nourrit la dépendance. Dans l'autre cas, quand je me différencie de mon partenaire, je conserve mes propres pensées, attitudes et émotions sans m'appuyer sur son vécu à lui. Je suis mon propre arbitre. J'ai mon vécu et l'autre a droit au sien. Ainsi, même si mon partenaire me fait une remarque, je ne me sentirai pas menacée, car je saurai qu'il s'agit de son expérience à lui et que cela lui appartient. Je peux avoir une expérience totalement différente sans pour autant invalider la sienne.

L'exemple de l'éducation rigide m'amène à souligner qu'il est nécessaire de se différencier de sa famille, c'est-à-dire que nous devons lui laisser ses valeurs, ses pensées et ses expériences afin d'adopter les nôtres, celles avec lesquelles nous sommes en harmonie. Nos valeurs et nos expériences peuvent être en partie similaires à celles de notre éducation, mais elles peuvent aussi différer puisque je suis ma propre personne avec mon individualité. Je suis unique ! La capacité à se différencier de sa famille facilite grandement la différenciation avec le partenaire. Si je suis capable de rejeter certains des préceptes de mon éducation pour adopter les miens sans pour autant être en froid avec ma famille, je serai plus à même de considérer mon partenaire comme un être unique à part entière, ayant son autonomie de pensée. Et c'est cet être, différent de moi, qui est si attrayant !

N'essayons pas de transformer notre partenaire pour qu'il corresponde à nos standards, alors que nous ne correspondons pas en tout point à nos propres standards. Prenons plutôt le temps d'érotiser cette différence. C'est ce principe qui est au cœur du désir relationnel.

La plupart des gens qui me consultent parce qu'ils vivent un problème de désir relationnel sont très fusionnels dans leur couple. Ils se définissent dans le regard de l'autre : autrement dit, ils sont ce que l'autre leur renvoie comme image. Ils ont des problèmes de désir, car tout devient sujet de conflits. Les reproches fusent de part et d'autre et il doit nécessairement y avoir un gagnant et un perdant. C'est le portrait type d'un couple fusionnel.

Au contraire, dans un couple différencié, les deux partenaires peuvent s'écouter et exprimer leur point de vue sans se sentir menacé, sans se faire dire qu'ils sont dans le tort, car il n'y a pas de tort ; il n'y a que des façons différentes de voir et de vivre les choses de la vie. Dans un couple différencié, chacun est responsable de son propre bonheur, alors que dans un couple fusionnel chacun est responsable du bonheur et du malheur de l'autre. Quand on y pense, c'est donner beaucoup de pouvoir à l'autre que de nous rendre heureux ou malheureux, non ?

Ainsi, le désir relationnel peut être considérablement influencé par le partenaire si la relation est fusionnelle. Tout ce que le partenaire dit et fait est susceptible d'être perçu comme une tentative de rapprochement ou une menace. Les petits irritants du quotidien deviennent rapidement des sources de problèmes sexuels. Si la relation est davantage axée sur la différenciation, le désir relationnel est plus fort puisque les différences de l'autre sont perçues comme des éléments attirants plutôt que comme des menaces. Dans la relation fusionnelle, il y a aussi le risque de tomber dans le piège de la relation parent-enfant, où l'un des partenaires prend l'autre en charge et devient son parent. Il faut bien comprendre que, dans cette dynamique, les deux partenaires sont responsables de leur rôle; autrement dit, cette dynamique est possible parce que chacun tient à son rôle de parent ou d'enfant. Nous y reviendrons plus loin au chapitre 6, intitulé « Quand l'enfant parle au parent qui refuse de l'écouter ».

DÉSIR AFFECTIF ET DÉSIR GÉNITAL

Dans le désir individuel comme dans le désir relationnel, on peut imaginer un continuum. À une extrémité, il y a un désir affectif et à l'autre extrémité, il y a un désir génital. Évidemment, il y a des degrés entre les deux. Sans donner dans les stéréotypes, je peux affirmer que les femmes sont souvent plus près du désir affectif, tandis que les hommes sont souvent plus près du désir génital.

Le désir affectif se traduit par un désir de rapprochement, de caresses et de baisers; il répond principalement à un besoin d'amour, d'affection et de tendresse. La plupart du temps, ce type de désir pousse la personne à faire l'amour pour se rapprocher de son partenaire et échanger avec lui. Cette sexualité a l'avantage d'amener les partenaires à une plus grande profondeur dans leur relation, à une plus grande intimité, à une « connexion », comme diraient certains. Cependant, elle a l'inconvénient de n'être possible qu'avec un partenaire régulier et dans le cadre d'une relation qui reste au beau fixe, ce qui n'est pas toujours le cas. Par conséquent, elle piège souvent la personne dans un cercle vicieux: madame ne fait pas l'amour parce qu'elle ne se sent pas assez proche de monsieur et elle ne vit pas le rapprochement intime dans sa sexualité qui l'aiderait à se sentir plus proche de monsieur. Si l'on ajoute au tableau le fait que le couple est fusionnel, on constate que, repoussé par sa femme qui a des choses à lui reprocher, monsieur se remet en question et prend ses distances pour ne pas être blessé davantage. Il y aura alors évitement de discussions et de rencontres sexuelles dans le couple. Des conflits banals viendront peupler le quotidien des partenaires alors que les enjeux réels (rejet, manque de communication, refus de la sexualité) ne seront pas abordés.

À l'autre extrémité du continuum du désir, il y a le désir génital, caractérisé par des pulsions sexuelles qui amènent la personne à rechercher surtout la gratification, la satisfaction de ses pulsions sexuelles, et ce, avec plus ou moins d'intérêt pour les aspects affectifs et relationnels de la rencontre sexuelle. Autrement dit, la personne poussée par le désir génital aime le plaisir sexuel et le valorise davantage que le côté affectif; elle a donc des échanges sexuels avec un ou des partenaires – toujours consentants, entendons-nous bien –, mais sans attente d'affection ou d'engagement de la part de l'autre. Donc, une personne peut entretenir une relation amoureuse avec quelqu'un, mais éprouver quand même un désir plus génital. Le désir et le plaisir sexuels sont alors ses premières motivations aux rencontres sexuelles. Sans tomber dans les stéréotypes, je dirais que les hommes sont plus nombreux que les femmes à vivre ce type de désir. L'avantage de cette vision de la sexualité est qu'elle offre beaucoup de possibilités de variété, de surprises agréables, pour peu que l'on agisse en partenaire sexuel responsable, bien entendu. Elle permet d'être peu ou pas affecté par les différences de l'autre, puisqu'il y a plus ou moins d'implication émotive dans l'échange sexuel avec le partenaire. L'inconvénient est que la personne a souvent de la difficulté à s'engager amoureusement et qu'à la longue elle se lasse de cette sexualité, car elle ressent un vide, l'absence de «connexion». Bien entendu, la plupart des gens se situent quelque part entre ces deux extrêmes. Si l'on imagine tout cela représenté sur une échelle de 0 à 10, voici ce que cela donne :

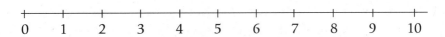

0 = désir sexuel totalement affectif
1-2 = désir sexuel presque uniquement affectif
3-4 = désir sexuel plutôt affectif
 5 = désir sexuel à la fois affectif et génital
6-7 = désir sexuel plutôt génital
8-9 = désir sexuel presque totalement génital
 10 = désir sexuel totalement génital

OÙ SITUEZ-VOUS VOTRE DÉSIR ?

À l'aide de ces chiffres et des explications que j'ai données précédemment, vous êtes maintenant à même de vous situer sur ce continuum ou échelle. Dans un premier temps, en vous servant de votre journal de bord, commencez par déterminer l'endroit où vous vous situez actuellement ; dans un deuxième temps, situez-vous dans votre passé ; puis, dans un troisième temps, écrivez quel serait votre objectif.

Je dois dire que la majorité des gens qui me consultent se situent quelque part entre 0 et 3 ou 7 et 10. Ce n'est pas scientifique, bien sûr, mais j'ai remarqué que dans ma clientèle les personnes qui déplorent un « manque » de désir et de plaisir sexuels se trouvent souvent sur l'échelle entre 0 et 3. Bien que l'affectif soit nécessaire à la disponibilité sexuelle, comme je l'ai expliqué plus tôt, il ne doit pas la surclasser. Ainsi, pour jouir d'une bonne santé sexuelle, il faut être à même d'avoir un désir sexuel à la fois affectif et génital ; on peut ainsi profiter des avantages propres aux deux types de désir. Entendons-nous bien ! Cela ne veut pas dire qu'à chaque rencontre sexuelle vous devez éprouver pour votre partenaire un désir à la fois affectif et génital. De même, si vous avez différents partenaires, vous ne devez pas nécessairement ressentir un désir à la fois affectif et génital pour chacun. Cela veut plutôt dire que vous devez être à même de ressentir, à différents moments ou lors de différentes rencontres, un désir parfois affectif et d'autres fois plus génital. Ainsi, vous pouvez parfois faire l'amour avec votre partenaire parce que vous désirez un rapprochement affectif passant par le rapprochement des corps, alors que d'autres fois il se peut que vous fassiez l'amour avec votre partenaire parce qu'au cours d'une soirée entre amis vous l'avez trouvé particulièrement chic et sexy dans sa tenue et sa façon d'être. Plus on est en contact avec soi-même, plus on est à même de ressentir un désir à la fois affectif et génital, lequel permet une sexualité plus complète et, au bout du compte, plus satisfaisante.

Qu'est-ce que le plaisir ?

Maintenant que vous connaissez les éléments qui vous aident à ressentir le désir sous ses différentes formes, voyons ce qu'il en est du plaisir. Le plaisir est quelque chose de fondamental dans la vie, il est nécessaire à tout être humain pour assurer un bon développement personnel. Le plaisir, c'est finalement quelque chose d'agréable que l'on se donne. La vie n'est pas faite que de responsabilités et d'obligations ; elle comporte aussi son lot d'agréments. Il nous appartient d'intégrer le plaisir à notre vie, à notre quotidien. Je ne vous surprendrai probablement pas en vous disant que le plaisir sexuel ne vient pas seul : s'il vous est difficile d'intégrer le plaisir en général dans votre vie, il vous sera également difficile de vivre du plaisir sexuel dans votre lit !

Revenons à ce que j'ai dit précédemment à propos du désir. La question n'est pas de savoir comment avoir du désir sexuel, mais plutôt comment le ressentir. Il en va de même pour le plaisir sexuel. La question n'est pas de savoir quelles sont les techniques infaillibles (si de telles techniques existaient, ne serions-nous pas tous comblés ?) pour avoir du plaisir sexuel, mais plutôt comment ressentir le plaisir sexuel. Autrement dit, comment peut-on s'autoriser à ressentir du plaisir sexuel ? On doit d'abord s'autoriser à avoir du plaisir en général.

Tout comme certains animaux ont besoin pour agir que l'on agite une carotte sous leur nez, nous, les humains, pour avoir du désir, nous avons besoin que s'agite dans notre cerveau la promesse du plaisir. Sans plaisir en perspective, il nous est bien difficile d'avoir du désir.

Imaginez que vous voulez vous entraîner parce qu'on ne cesse de vous dire que ça vous ferait du bien de faire de l'exercice. Vous n'avez aucun plaisir ; vous êtes essoufflé et vous souffrez de courbatures. Serez-vous motivé à faire de l'exercice ? Aurez-vous envie d'en faire ? Probablement pas. Il en va de même pour la sexualité. Si vous faites l'amour parce que vous craignez que votre partenaire soit infidèle ou parce que vous voulez égaler une quelconque moyenne de relations sexuelles chez les Québécois afin de faire « comme tout le monde », mais que vous ne ressentez pas de plaisir, vous allez rapidement laisser tomber. Il est donc primordial, dans la sexualité, d'éprouver du plaisir.

Pour ressentir du plaisir, il faut non seulement être capable d'établir une connexion avec son soi, comme je l'ai déjà dit, mais il faut aussi être capable de recevoir. Pour plusieurs personnes, le plaisir de l'autre passe avant le leur ; elles donnent donc beaucoup de plaisir à l'autre et s'oublient. Ce sont souvent les mêmes qui, dans la vie également, donnent beaucoup mais ont de la difficulté à recevoir. Si c'est votre cas, posez-vous la question suivante : « Pourquoi est-ce que je donne autant ? » La réponse facile serait : « Pour recevoir. » Mais c'est faux. La plupart des gens qui donnent beaucoup ne veulent pas recevoir ; en fait, ils ont beaucoup de difficulté à recevoir. Donner autant devient un évitement à recevoir. Il y en a d'autres qui donnent pour être appréciés. Ils veulent être aimés et se disent que, s'ils rendent service ou font plaisir aux gens, ils seront aimés davantage. C'est souvent une grossière erreur, car habituellement les gens prennent ce qu'on leur donne et s'en vont. C'est ainsi que les grands généreux finissent par se sentir exploités… mais leur attitude n'appelle-t-elle pas cette exploitation ?

Prenons l'exemple de Marguerite, 40 ans, divorcée, sans enfants. Depuis son divorce, elle a eu plusieurs relations, mais toujours de courte durée. Elle ne comprend pas ce qui cloche. Elle fait tout pour faire plaisir aux hommes qu'elle rencontre ; au lit, elle est à l'écoute de leurs moindres besoins et passe en deuxième. Elle se sent frustrée, peinée et utilisée par ces hommes qui « ne pensent qu'à eux ». Au bout du compte, elle préfère encore être seule plutôt que mal accompagnée. À ses amies, elle dira à quel point les hommes sont profiteurs.

Beaucoup la plaindront, mais trop peu poseront la vraie question : « Comment se fait-il qu'avec tous les hommes disponibles Marguerite n'attire que ce type d'hommes-là ? » La réponse facile pourrait être qu'elle est malchanceuse, tout simplement. Mais quelque part, la vraie réponse est probablement à l'intérieur de Marguerite. Elle se relègue elle-même au second plan, alors comment les autres pourraient-ils la traiter différemment ? Son plaisir est moins important que celui de son partenaire et ses actions vont dans ce sens. L'homme prend son plaisir et, après, il y a Marguerite. Mais même s'il ne lui en donne pas, il sait qu'elle sera là, disponible pour lui et qu'elle ne lui en voudra pas. Alors il en profite. Quand il en a assez, il la quitte, car il aimerait bien une femme épanouie sexuellement, capable de donner et de recevoir. Quant à Marguerite, elle se retrouve de nouveau seule.

Je vous raconte cette histoire pour souligner que c'est nous, et personne d'autre, qui sommes responsables de notre vie et de notre plaisir. Il n'y a pas de mauvais amants ou de mauvaises maîtresses ; il n'y a que des personnes mal à l'aise avec leur sexualité et leur plaisir. Cessons de chercher des coupables en la personne des autres et tournons-nous vers nous-mêmes ! Prenons notre vie et notre plaisir en main ! Cessons de dépendre des autres. Encore une fois, je vous invite à relire le chapitre 2, au besoin.

Le plaisir sexuel est quelque chose d'assez complexe, même si pour plusieurs il est synonyme d'orgasme. En fait, c'est faux. L'orgasme est l'aboutissement d'une longue montée de plaisir que l'on pourrait comparer à une longue montée d'adrénaline.

L'orgasme est alors vu un peu comme une décharge électrique. Bien que l'orgasme soit agréable, est-il pour autant nécessaire à l'épanouissement sexuel ? À cela, je répondrais que non. Quand l'orgasme devient nécessaire à chaque rencontre sexuelle et que l'on multiplie les « techniques infaillibles » tirées de tel ou tel bouquin pour y arriver, on est de nouveau dans le savoir-faire et non dans le savoir-être.

Plusieurs se demandent qui devrait avoir son orgasme en premier. Certains couples alternent, d'autres essaient de l'avoir en même temps en combinant les « techniques infaillibles » pour en ressortir la plupart du temps frustrés. L'orgasme synchronisé, c'est-à-dire atteint par les deux partenaires en même temps, est davantage un mythe qu'une réalité. Mais encore une fois, on tombe dans le piège du savoir-faire. L'orgasme qui arrive naturellement après une montée de plaisir des deux partenaires grâce à l'écoute et à la connaissance qu'ils ont chacun de leur corps est davantage une manifestation du savoir-être. Le savoir-être relié au plaisir sexuel devient la possibilité de se laisser aller au ressenti, aux sensations qui font vibrer notre corps et de les apprécier pour ce qu'elles sont. Le plaisir sexuel est plus que le plaisir génital ; c'est un plaisir plus sensuel, soit le plaisir des sens. Par exemple :

- La vue de notre partenaire qui se déshabille ;
- Le son des gémissements et des draps que l'on froisse ;
- L'odeur de notre partenaire ou de l'encens qui brûle dans la pièce ;
- Le goût salé et sucré de la peau ;
- La caresse de notre corps et du corps de l'autre.

Vous aurez compris que l'activation de tous ces sens amène un plaisir plus subtil, mais tout aussi agréable. Et si l'on est à l'écoute de son corps, on comprend bien que l'activation des sens dans la sexualité procure des sensations physiques et sexuelles très agréables. Le plaisir ressenti correspond alors davantage à une sensation diffuse dans le corps et ne se limite pas aux seuls organes génitaux. Ce plaisir global ne peut que contribuer à un plus grand plaisir génital. Alors attention de ne pas valoriser l'un au détriment de l'autre !

Nous pouvons tout aussi bien reprendre le concept de l'échelle du désir et l'appliquer au plaisir sexuel :

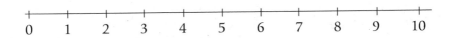

0 = plaisir sexuel totalement sensuel
1-2 = plaisir sexuel presque uniquement sensuel
3-4 = plaisir sexuel plutôt sensuel
5 = plaisir sexuel à la fois sensuel et génital
6-7 = plaisir sexuel plutôt génital
8-9 = plaisir sexuel presque totalement génital
10 = plaisir sexuel totalement génital

OÙ SITUEZ-VOUS VOTRE PLAISIR ?

Dans votre journal de bord, prenez le temps de situer votre plaisir sexuel actuel ; ensuite, situez votre plaisir sexuel passé ; finalement, donnez-vous un objectif. Encore une fois, il convient de dire que la recherche de l'équilibre est l'idéal. Le pouvoir de ressentir un plaisir lié aux sens, mais aussi le pouvoir de ressentir un plaisir plus génital constituent certes l'une des clés d'une sexualité épanouie. Sans céder au piège des stéréotypes, je dirai seulement que souvent les femmes recherchent davantage le plaisir sensuel et que souvent les hommes recherchent davantage le plaisir génital. Cependant, l'échelle de 1 à 10 et les pistes de réflexion que je vous ai données précédemment vous permettront de vous situer plus personnellement et de comprendre ce que vous avez à travailler.

En matière de désir comme en matière de plaisir, la clé est la possibilité de percevoir des images et des rêveries, de ressentir des sensations grâce à l'écoute de soi-même et à la disponibilité que l'on se donne. Il faut prendre le temps et s'encourager : Rome ne s'est pas bâtie en un jour. Persévérez et vous verrez… les prises de conscience que vous ferez au gré de votre lecture vous mèneront à un savoir-être sexuel unique à vous et, par conséquent, à une sexualité beaucoup plus épanouie. L'essentiel, c'est d'être d'abord et avant tout disponible à soi-même pour faire les bons choix.

Chapitre 4

Ce que mes choix disent de moi

Qu'est-ce qu'un choix ? Cette question peut sembler banale à première vue, mais il faut savoir que chez bien des gens la notion de choix n'existe pratiquement pas. Certains croient en effet qu'ils n'ont pas la possibilité de faire des choix, que la vie les mène où elle le veut bien et qu'ils subissent les événements. Cette vision des choses est plutôt fataliste. En réalité, nous avons bien des choix dans la vie ; le fait d'en prendre conscience constitue un grand pas vers l'autonomie et le bonheur.

Selon le *Petit Robert*, le choix est le pouvoir, la liberté de choisir. Le choix implique donc plusieurs possibilités et la nécessité de prendre une décision. Les possibilités peuvent nous être offertes par la vie, mais elles sont souvent elles-mêmes les conséquences de décisions que nous avons prises ou que nous n'avons pas prises dans le passé. Si nous voyons la vie comme un long fil conducteur et si nous remontons ce fil, petit à petit, nous pouvons comprendre bien des choses. Prenons un exemple.

LES CHOIX DE CARL

Carl est en couple avec Émile depuis six mois. Ils habitent ensemble, mais ils ont loué un appartement avec trois chambres : la première est leur vraie chambre commune, la deuxième leur sert de bureau et la troisième est une chambre d'amis qu'ils font passer pour la chambre d'Émile aux yeux de certains visiteurs.

Quand ses parents viennent passer un week-end, Carl demande à Émile de quitter l'appartement pendant toute la durée de leur séjour afin qu'ils ne se doutent de rien. Émile se fâche et lui dit qu'il ne veut pas se cacher. Ils se disputent. Carl finit par lancer à la figure d'Émile qu'il n'a pas le choix. Est-ce vrai? Non. Il pourrait ne pas demander à Émile de partir pendant quelques jours. Il pourrait parler à ses parents à ce sujet, leur dire qu'il est homosexuel et amoureux. Cependant, Carl ne considère que les possibilités suivantes: qu'Émile parte pour le week-end afin de ne pas éveiller les doutes de ses parents; qu'Émile reste et joue le jeu, ce qu'il refuse de faire; qu'Émile reste et que ses parents découvrent la vérité en vivant avec eux, ce qui serait épouvantable pour Carl. À ses yeux, ce sont là les seules possibilités envisageables, surtout parce qu'il n'a jamais été à l'aise avec son orientation sexuelle et qu'il n'a jamais voulu en parler à ses parents. Il se retrouve donc quelque peu piégé, selon sa perception des choses. Cependant, il n'est pas pleinement conscient que son problème vient du fait qu'il ne veut pas se révéler à ses parents et vivre son homosexualité ouvertement.

Cet exemple est typique de ce que plusieurs appellent « ne pas avoir le choix ». C'est faux. Nous avons toujours des choix, mais ce ne sont pas toujours ceux que nous voudrions avoir. Dans l'exemple que nous venons de voir, on constate que, s'il avait le choix, Carl ne voudrait pas être homosexuel, mais, comme il l'est, il aimerait avoir le choix de le cacher. Cependant, étant donné que quelqu'un d'autre est concerné – Émile, en l'occurrence – s'il veut continuer de se cacher, ce sera au risque de le perdre. Dans ce cas-ci, Carl doit décider de ce qui lui semble être la meilleure option pour lui, avec le moins de conséquences possible. Cependant, comme il ne connaît pas l'avenir, il doit se fier à ce qu'il ressent en ce moment et espérer faire le bon choix.

BON CHOIX, MAUVAIS CHOIX

Qu'est-ce que le bon choix? Ou plutôt, qui détermine qu'il s'agit du bon choix? Sur quoi s'appuie-t-on pour dire qu'il s'agit du bon choix? Chaque personne pourrait avoir sa propre définition de ce qu'est un bon choix. Par contre, pour aller dans le même sens que dans les chapitres précédents, j'affirmerai que le bon choix se fait en fonction de soi-même et non en fonction des autres ; de plus, je dirai que le bon choix est celui qui nous rend le plus heureux, idéalement à court et à long terme. Il y a parfois des situations où le choix que nous faisons ne peut pas nous rendre heureux à court et à long terme à la fois ; dans ce cas, il faut choisir entre le bonheur ou la paix à court terme et les tourments par la suite, ou les difficultés à court terme et le bonheur à long terme. Il s'agit, encore une fois, de faire un choix, **notre choix.** Nous avons tous droit au bonheur, mais nous avons aussi tous le choix de le vouloir ou non et de le vouloir temporairement ou à long terme.

Dans l'exemple de Carl et Émile, si Carl fait le bon choix, c'est-à-dire s'il se choisit d'abord et avant tout, il devra déterminer ce qui le rend le plus heureux, à court et à long terme. Sera-t-il plus heureux en cachant son homosexualité et sa relation ou en partageant cet aspect de sa vie avec ses parents et en assumant pleinement qui il est ? Probablement que la première option est la plus tentante à court terme, car elle comporte moins de stress et moins de potentiel de frictions. Par contre, à long terme, il est difficile de vivre caché et ce n'est certes pas la meilleure façon de vivre en harmonie avec qui l'on est, avec l'être et le savoir-être dont j'ai parlé dans les chapitres précédents. Le savoir-être n'est donc finalement que la capacité à exister en harmonie avec son soi profond, dans la plus grande similitude entre notre vie intérieure et notre vie extérieure, avec les autres. Beaucoup plus proche du savoir-être, la deuxième option qui s'offre à Carl comporte certes un potentiel de difficultés au début, mais, à long terme, l'harmonie qu'il ressentira entre sa vie intérieure et sa vie extérieure le rendra plus heureux. La réaction négative qu'il craint de provoquer chez ses parents demeure hypothétique pour l'instant. Il pourrait même constater avec surprise que sa nouvelle harmonie le rend beaucoup plus attrayant aux yeux des autres que s'il avait continué de prétendre être un homme hétérosexuel, alors qu'il est un homme homosexuel.

On peut soit prétendre, soit être : il s'agit toujours d'un choix. Nous sommes responsables de la façon dont les autres nous perçoivent, jusqu'à un certain point, car nous sommes responsables de l'image que nous projetons. S'il est aussi difficile pour Carl, aujourd'hui, de dévoiler son homosexualité, c'est parce qu'il a longtemps projeté l'image d'un homme hétérosexuel. Son entourage réagira probablement davantage au mensonge qu'à l'orientation sexuelle en tant que telle. Ses proches se sentiront probablement trahis du fait que Carl leur aura menti aussi longtemps. Mais Carl a fait un choix par le passé, celui de cacher sa véritable identité, et aujourd'hui il en vit des conséquences. Toutefois, la bonne nouvelle, c'est que nous avons toujours le choix de rectifier le tir, c'est-à-dire de faire un autre choix qui nous amènera vers de nouvelles options. Comme dans le cas de Carl, il n'en tient qu'à nous de prendre cette décision.

Quels sont nos choix ? Souvent, nous avons le choix entre nous-mêmes et les autres, ce qui, pour plusieurs, rend les choses très difficiles. Car la grande peur du jugement et du rejet des autres se cache bien souvent derrière la difficulté à faire ce choix. Il est rare, en effet, qu'un choix soit à l'entière satisfaction de tous ; il y aura toujours des mécontents. Choisir, cela veut aussi dire assumer, prendre la responsabilité de quelque chose et de ses conséquences. Je dis souvent que ça s'appelle « devenir adulte », prendre conscience que nos choix ont des conséquences et que nous avons une responsabilité dans celles-ci. Les conséquences peuvent se faire ressentir sur soi-même, sur les autres ou toucher les deux côtés à la fois, mais une chose est sûre : nous ne pouvons pas rendre les autres responsables de nos choix, de notre bonheur et de notre malheur.

VOS CHOIX PERSONNELS

Dans votre journal de bord, décrivez trois situations dans lesquelles vous avez fait des choix dernièrement. Expliquez les choix que vous avez faits dans chacune des situations, puis répondez aux questions suivantes :

- Avez-vous fait ces choix en fonction des autres ou en fonction de vous-même ? Dans quelle mesure ?
- Quelles ont été les conséquences positives et négatives de ces choix ?
- Avez-vous blâmé quelqu'un d'autre pour vos choix ?
- Si c'était à refaire, quels choix feriez-vous ? Pourquoi ?

Analysons un autre exemple. Véronique est en couple depuis 10 ans avec Pierre et ils ont 2 enfants. Elle n'aime plus Pierre et est malheureuse avec lui. Elle n'ose pas le quitter, car elle a peur de lui faire de la peine et de traumatiser ses enfants. Elle craint également le jugement des autres sur le fait qu'elle pense à elle plutôt qu'à ses enfants. Ici, Véronique a le choix entre se donner la priorité, être plus heureuse et peut-être avoir la chance de refaire sa vie ou donner la priorité à Pierre et à ses enfants, et rester en couple.

En fait, elle ne considère pas que, si elle se séparait, les enfants seraient peut-être plus heureux ainsi que de grandir dans une famille où ils s'apercevraient tôt ou tard que leurs parents ne s'aiment plus. À la longue, choisir les autres au détriment de soi-même apporte bien des déceptions et de la frustration. Donner la priorité aux autres, c'est ne pas vivre sa vie pleinement ; c'est la vivre selon les règles et les conditions des autres. C'est leur donner du pouvoir sur notre vie. Or, nos choix nous appartiennent ; ils sont déterminés en grande partie par nous-mêmes et, bien sûr, par notre degré d'estime personnelle. Bien entendu, si nous nous estimons, nous ferons des choix qui nous rendront plus heureux. Il se peut que ces choix affectent d'autres personnes, mais, au bout du compte, est-il préférable de vivre quotidiennement avec des regrets, des déceptions et des frustrations en espérant préserver l'amour des autres ou de vivre en sachant que certaines personnes nous jugent peut-être pour nos choix ? Comme nous vivons avec nous-mêmes à chaque minute de notre vie, à moins d'être totalement déconnectés de notre soi profond, nous souffrirons davantage si nous faisons des choix qui vont à l'encontre de notre propre bonheur.

Certaines personnes me diront : « Oui, mais moi, ce qui me rend heureuse, c'est de rendre les autres heureux. Alors si je fais des choix pour les autres, je serai heureuse, non ? » Peut-être, jusqu'au jour où vous comprendrez que vous êtes très peu en contact avec le bonheur des autres comparativement au sacrifice de vous-même que vous faites. Et il y a plus… Souvenez-vous, comme nous l'avons vu au chapitre précédent, que certaines personnes donnent la priorité aux autres en espérant qu'ils les apprécieront davantage. Avec le temps, elles risquent de constater que souvent les gens n'ont même pas conscience qu'elles se sont sacrifiées pour leur faire plaisir. Pire encore, elles pourraient découvrir qu'elles se sont sacrifiées en croyant faire plaisir aux autres, mais qu'elles n'avaient pas la moindre idée de ce qui leur faisait vraiment plaisir ou de ce dont ils avaient véritablement besoin. Elles se seront donc sacrifiées sans même avoir fait plaisir aux autres. Elles se sentiront lésées et non appréciées ; à la longue, elles finiront par en vouloir aux autres d'être égoïstes et de ne pas remarquer tout ce qu'elles font pour eux. Commencez donc par faire les choses pour vous-même et ne rendez service que si vous en avez véritablement envie. Vous verrez la différence.

EXAMINEZ VOS CHOIX « ALTRUISTES »

Dans votre journal de bord, décrivez deux situations où vous avez fait quelque chose uniquement pour les autres, puis répondez aux questions suivantes :

- Comment me suis-je senti ?
- Quelqu'un a-t-il remarqué ce que j'ai fait ?
- Quels bénéfices en ai-je retirés ?
- Ces bénéfices sont-ils suffisants, compte tenu de l'énergie et de l'implication que j'ai dû investir ?
- Est-ce que je répéterais l'expérience ?

Prenez conscience que si c'est uniquement en fonction des autres que vous faites vos choix, vous allez probablement être déçu si les gens ne vous sont pas aussi reconnaissants que vous l'auriez souhaité. Les véritables choix altruistes, avec tout le détachement de soi qu'ils impliquent, sont plutôt rares. En ce sens, vos choix « altruistes » le sont-ils réellement ou êtes-vous encore une fois « en attente » ?

Maintenant, regardons d'un peu plus près les choix que vous avez peut-être faits dans le passé. Bien sûr, même si vous n'en aviez pas conscience sur le moment, vous avez fait des choix autrefois. Il y a eu des choix plutôt banals comme ce que vous alliez porter pour une occasion spéciale ou pour les vacances, mais vous avez aussi pris des décisions beaucoup plus importantes concernant vos études, votre emploi, vos partenaires, etc.

Certaines personnes me diront : « Dans mon temps, on n'avait pas le choix de faire des études quand on était une femme. On était institutrice ou infirmière, ou on ne faisait pas d'études. » Je vous ramène à ce que je disais plus haut : nous avons toujours des choix, mais peut-être pas ceux que nous voudrions avoir. Ainsi, ces femmes avaient le choix d'être infirmières, institutrices ou de ne pas faire d'études. Certaines auraient peut-être voulu devenir médecins, mais, même si à l'époque ce n'était pas possible, elles avaient tout de même des choix. Et plus tard, quand c'est devenu possible, certaines ont fait le choix de se remettre aux études et de pratiquer la profession qu'elles désiraient vraiment. Nous avons donc toujours le choix. Nous ne pouvons pas nous déresponsabiliser par rapport à notre passé en disant que nous n'avions pas le choix. Méditez là-dessus.

Le même raisonnement s'applique à nos relations passées. Je suis toujours amusée de constater la répétition de *patterns* dans les relations amoureuses de certaines personnes qui me consultent ; autrement dit, plusieurs d'entre elles « collectionnent » tel type de partenaires ou se font toujours quitter dans leurs histoires d'amour. Bien sûr, jusqu'à ce qu'elles viennent me consulter, elles sont persuadées que tout cela n'est que le fruit du hasard... Mais le hasard n'a rien à voir là-dedans.

Le fait est que nous attirons certains types de personnes, que nous faisons le choix de les laisser entrer dans notre vie et de leur donner une place. Bien que ce choix soit souvent inconscient, il n'en reste pas moins un choix. En effet, comment expliquer, par exemple, que Magali, une jeune femme au début de la trentaine, n'attire que des hommes qui ne veulent pas s'engager? Elle dira que les hommes d'aujourd'hui ne veulent plus s'engager. Est-ce vrai? Non, plusieurs hommes souhaitent s'engager et le font. Pourtant, Magali ne rencontre pas ces hommes. Fruit du hasard, malchance ou choix inconscient? Le choix inconscient demeure la réponse la plus plausible. En effet, il serait intéressant, pour elle, de faire l'inventaire de ses relations passées et de se demander ce qui l'attirait tant chez ces partenaires. Il est fort probable qu'elle découvrira des éléments de personnalité peu compatibles avec l'engagement, tels le goût de l'aventure et de la liberté, une grande indépendance, un attrait pour la séduction, etc. Alors qu'est-ce que cela dit d'elle? Peut-être Magali n'est-elle pas aussi prête à s'engager qu'elle le croit et que c'est son inconscient, manifesté par ses choix de partenaires, qui le lui dit. Être à l'écoute de son inconscient constitue l'une des clés fondamentales de l'épanouissement personnel, relationnel et sexuel. (Nous y reviendrons au chapitre 8, intitulé «Ce que votre inconscient peut vous révéler».)

Nous devons forcément admettre que nous choisissons nos partenaires. Or, si nous examinons attentivement nos choix, nous pouvons apprendre beaucoup de choses sur nous-mêmes, sur nos forces et sur nos lacunes. Nous sommes responsables de nos anciennes relations, de leur déroulement et de leur dénouement. Qui plus est, le refus d'en tirer des leçons relève d'une attitude négligente à l'égard de nous-mêmes et de nos futurs partenaires. Nous ne pouvons pas blâmer sans cesse les autres pour notre vie, car cela équivaut à leur donner un surcroît de pouvoir qu'ils n'ont pas en réalité. Ce que nous voulons, c'est avoir du pouvoir sur notre vie; or, faire des choix, c'est exactement cela : prendre le contrôle sur sa vie et non sur celle des autres.

Dites-vous bien que vos partenaires ont également choisi d'être avec vous, et ce, pour leurs propres raisons, mais il serait laborieux de tenter de les découvrir ici. Comme je l'ai déjà dit, vous êtes la personne la plus importante de votre vie, alors mettez-y tout votre cœur. Je peux vous assurer que si vous examinez attentivement vos choix, tant ceux du passé que ceux du présent, vous comprendrez bien des choses à votre sujet et serez en mesure de faire de meilleurs choix dans l'avenir.

LE SENS DES CHOIX PASSÉS

Pour comprendre le sens de nos choix passés, il faut souvent remonter jusqu'à l'enfance et plus particulièrement examiner les relations que nous avons eues avec nos parents. Les forces comme les manques dans nos relations avec nos parents nous amènent à choisir des partenaires qui soit combleront nos manques, soit nous confronteront à nos manques. Dans le second cas, ce sera à nous de travailler à en triompher. Plusieurs personnes sont malheureuses dans leurs relations de couple parce qu'elles ne comprennent pas, justement, que ce qui les rend malheureuses est très près de ce qu'elles ont manqué étant jeunes.

Prenons d'abord un exemple pour illustrer comment un partenaire peut combler nos manques. Sophie est attirée par des hommes plus âgés, souvent de 20 ans son aîné. Elle considère que les hommes de son âge sont tous immatures et sourds aux besoins des femmes. Les hommes dans la vingtaine sont-ils tous immatures? Non, on ne peut pas affirmer cela. Par contre, on peut dire que Sophie choisit des hommes plus âgés en évoquant leur maturité. Et si la réalité était plus profonde?

Quand on examine sa vie passée avec ses parents, on constate que son père s'occupait très peu d'elle, qu'il ne lui donnait pas d'attention ni d'affection. Cette attitude a créé un manque certain chez elle, car, pour s'épanouir, tout enfant a besoin d'un modèle féminin et d'un modèle masculin stables (voir le chapitre 10, intitulé «L'analyse des modèles parentaux».) Pourtant, consciemment, Sophie n'admet pas avoir souffert de la situation. Mais son histoire de vie et ses choix nous disent autre chose: elle choisit toujours un homme qui pourrait être son père. Par ce choix, elle cherche inconsciemment à réparer la relation qu'elle a eue avec son père, à combler ce qui lui a manqué, à profiter de la présence de ce père. Si elle en arrivait à reconnaître ce manque et à faire la paix avec cette souffrance, elle pourrait entrer en relation avec des hommes qui sont plus au même niveau de développement qu'elle. À 25 ans, on n'a pas les mêmes désirs, besoins et attentes qu'à 45 ans! Les relations de Sophie sont malheureusement vouées à l'échec, mais le plus déplorable dans tout ça, c'est qu'elle poursuivra sa quête avec le même type de partenaires si elle ne comprend pas les liens avec son passé. (Nous verrons plus en détail l'impact des relations parentales au chapitre 10.)

Bien des gens ont déjà fait l'expérience d'une relation de couple dans laquelle ils cherchaient à combler des manques. Ils doivent cependant se rendre à l'évidence que, d'une part, l'autre n'est nullement responsable de l'origine de leurs manques et que, d'autre part, il n'est pas davantage responsable de combler ces manques. Dans ma pratique, j'ai vu plusieurs personnes qui recherchaient des partenaires dépendants parce qu'elles avaient souffert de l'absence d'un parent. Cependant, même si leurs partenaires comblaient leur manque par leurs propres difficultés, cela n'amenait pas pour autant ces personnes à régler leurs problèmes liés au passé. En réalité, cela ne faisait que les camoufler.

Prenons un autre exemple pour illustrer la manière dont les partenaires se confrontent dans leurs propres manques. François a eu un père qui l'a abandonné alors qu'il était encore très jeune et une mère qui l'a surprotégé. Elle ne voulait jamais qu'il sorte le soir, insistait pour rencontrer tous ses amis et ses petites amies. Elle avait de la difficulté à s'entendre avec les copines de François. C'était son petit garçon. François a grandi dans la frustration causée par le manque de liberté. Il aurait aimé avoir davantage d'autonomie et vivre son adolescence pleinement. Adulte, il a rencontré Jessica, une jeune femme qui, à première vue, semblait sûre d'elle. Toutefois, il n'a pas tardé à s'apercevoir que Jessica est contrôlante. Elle veut toujours savoir où il est, avec qui, à quelle heure il rentre. S'il sort, elle l'appelle à plusieurs reprises. Elle est jalouse de ses collègues féminines au travail. François est malheureux. Il ne prend pas pleinement conscience qu'il a choisi Jessica parce que, justement, elle lui rappelait sa mère.

Plusieurs choix s'offrent à lui. Il peut soit quitter Jessica sans comprendre le sens de leur relation et, par le fait même, risquer de répéter le même *pattern*; soit demeurer avec Jessica en continuant de souffrir de la situation; soit prendre conscience du sens de la relation, en discuter avec Jessica et grandir avec elle en valorisant leur liberté mutuelle assortie d'un engagement sincère, s'ils le souhaitent tous les deux. Jessica réalisera peut-être qu'elle a aussi ses raisons pour agir de la sorte et que son insécurité remonte à loin. Elle pourra à son tour grandir en affrontant ses peurs tout en profitant du soutien que lui procure l'amour de François.

Nos choix du passé, comme tous nos autres choix, ont eu les retombées. Aujourd'hui, certaines personnes vivent encore avec des retombées de leurs choix passés. Pensez simplement aux personnes qui ont choisi d'avoir une sexualité ouverte avec plusieurs partenaires et de croire que les infections transmissibles sexuellement (ITS), que l'on appelait autrefois les «maladies transmissibles sexuellement» (MTS), n'existaient que pour les autres. Cette fausse croyance peut conduire au choix de ne pas utiliser de préservatif et, malheureusement pour certains, ce choix peut entraîner de lourdes conséquences dont ils paient encore le prix aujourd'hui... Même de nos jours, l'herpès ne se guérit pas. Les personnes infectées vivent donc encore avec les conséquences d'un choix passé qui a souvent été fait vite, dans le feu de l'action et de la passion, sans qu'elles aient vraiment réfléchi à ses implications. Heureusement, ce ne sont pas tous les choix du passé qui ont autant de conséquences sur nos vies. Quoi qu'il en soit, cet exemple illustre bien que nos choix ne sont pas sans conséquences.

Il en va de même pour nos choix relationnels. Si, dans le passé, vous avez choisi des partenaires qui vous ont fait souffrir et que, malgré tout, vous avez choisi de rester longtemps, trop longtemps, dans ces relations, vous en portez peut-être encore des cicatrices : faible estime de soi, manque de confiance en soi, isolement, tristesse et surtout amertume face aux relations amoureuses. Les retombées des relations amoureuses passées sont bien réelles, elles peuvent être positives et négatives. Bien entendu, si vous avez choisi une personne qui vous a fait grandir, qui vous a aidé à traverser une période difficile, ou encore simplement une personne agréable à vivre avec qui vous avez partagé de bons moments, vous avez probablement davantage confiance en vous et en l'amour.

L'INVENTAIRE DE VOS RELATIONS AMOUREUSES

Pour bien comprendre vos relations amoureuses passées et leurs retombées, je vous suggère d'en faire l'inventaire en répondant, pour chacune, aux questions suivantes :

- Comment décririez-vous votre partenaire ?
- Quelles étaient ses qualités, quels étaient ses défauts ?
- Qui a pris l'initiative de la relation ?
- Comment décririez-vous la relation de couple ?
- Sur quoi portaient vos conflits ?
- De quelle façon les conflits étaient-ils résolus ?
- Comment décririez-vous votre sexualité ?
- Si vous aviez des difficultés sexuelles, quelles étaient-elles ?
- On dit souvent qu'un des deux partenaires aime plus que l'autre. Lequel des deux était-ce ?
- Qui a mis fin à la relation ? Pourquoi ?
- Quel est votre niveau de satisfaction à l'égard de cette relation sur une échelle de 0 à 10 ? Pourquoi ?
- Quelles leçons pouvez-vous en tirer ?

Lorsque vous aurez terminé votre inventaire, vous pourriez trouver fort intéressant de relever les similitudes et les différences entre vos relations. Vous risqueriez d'être surpris... Vous arriverez probablement à reconnaître des *patterns* qui ne sont pas attribuables aux autres, mais plutôt à vos propres choix et aux défis que vous avez à relever. Rappelez-vous l'exemple de Magali, la jeune femme qui ne rencontre que des hommes ne désirant pas s'engager. Ces hommes ne sont pas représentatifs de l'ensemble de la gent masculine, mais ils correspondent plutôt aux choix d'une jeune femme qui préfère certaines valeurs plus difficilement compatibles avec l'engagement à long terme.

Par conséquent, si vous reconnaissez des *patterns*, laissez tomber les idées préconçues un peu faciles du genre « les hommes ne veulent plus s'engager » et interrogez-vous plutôt sur ce qui vous pousse à choisir ce type de partenaires et ce type de relations, qui vous rendent malheureux. Vous apprendrez davantage à vous connaître et vous prendrez conscience de certaines choses. La première étape vers la guérison est la prise de conscience des sources intérieures de nos perturbations. Autrement dit, il faut être capable de trouver ce qui nous fait souffrir à l'intérieur de nous-mêmes et qui nous appartient en propre, parce que cela relève de notre passé, de nos pensées, de nos croyances, de nos attentes, de nos émotions. Bref, il faut apprendre à laisser l'autre en dehors de ça et nous concentrer sur ce que nous nous faisons à nous-mêmes pour nous perturber.

Par exemple, si vous vous attendez à ce que votre partenaire soit toujours disponible les fins de semaine pour faire des activités avec vous et qu'il ne l'est pas, vous lui en voudrez et l'accuserez de ne pas être fait pour vivre en couple. En réalité, le problème relève davantage de vos attentes et de votre difficulté à vous créer une vie bien à vous dans laquelle vous inclurez votre partenaire et à laquelle il aura envie de participer parce qu'il ne sentira pas de pression ni d'attentes de votre part.

Après avoir identifié vos *patterns*, essayez de nommer au moins une chose que chaque relation vous a apprise. Même dans les pires relations, nous apprenons des choses. Par exemple, si vous avez été en couple avec une personne qui passait son temps à vous tromper, vous pouvez dire que vous avez appris à vous méfier, mais, de manière plus constructive, vous pourriez dire que vous avez appris à vous aimer davantage et que, la prochaine fois, vous quitterez une personne qui ne sait pas vous aimer et vous respecter comme vous le méritez. Vous aurez appris à être prudent plutôt que méfiant. Enfin, après cela, vous serez peut-être davantage à même de comprendre que chacune de vos relations vous a apporté quelque chose et vous a fait grandir. Méditez là-dessus. Voir les choses sous cet angle aide bien souvent à décrocher de l'amertume et du ressentiment que certains peuvent éprouver après une rupture et même plusieurs années plus tard.

VOUS CHOISISSEZ VOTRE SEXUALITÉ

S'il est vrai que, consciemment ou non, nous avons choisi nos relations amoureuses passées, il est aussi vrai que, consciemment ou non, nous choisissons le type de sexualité que nous vivons, à moins d'être forcés à avoir des rapports sexuels – ce qui peut arriver, malheureusement. Dans ce cas, cependant, il n'est nullement question de choix. Heureusement, pour la majorité d'entre nous, les expériences sexuelles ont été consentantes. Et c'est parce qu'elles ont été choisies qu'il y a une si grande diversité dans les expériences de chacun. Parfois, certaines personnes ont des désirs sexuels, mais elles choisissent de ne pas les vivre et cela leur appartient.

C'est pour cette raison que je suis toujours très prudente quand une personne me consulte pour un manque de désir sexuel. L'expérience m'a démontré que, bien que certaines personnes n'aient absolument aucun désir sexuel, plusieurs prétendent ne pas en avoir alors qu'en réalité elles en ont. En fait, ces personnes choisissent inconsciemment de refouler leur désir sexuel, de le cacher au fond d'elles-mêmes parce que souvent elles en ont honte.

Christine, 45 ans, n'a pas de désir sexuel. Elle n'exprime effectivement pas de désir sexuel; par contre, elle a parfois des idées sexuelles et en rougit. Elle se voit ayant des relations sexuelles avec un homme alors qu'elle est attachée à son lit. Elle a honte de ces images et reconnaît qu'elle ressent une excitation sexuelle lorsqu'elle les évoque. Elle a été élevée dans une famille très religieuse où l'on ne parlait jamais de sexualité. Sa mère lui a seulement dit lors de son mariage qu'elle devrait satisfaire son mari si elle voulait le garder à la maison. À l'époque, elle n'était pas sûre de ce que cela voulait dire. Elle a fini par comprendre que les désirs de son conjoint étaient plus importants que les siens. Ce n'est qu'à la longue qu'elle s'est aperçue que son désir sexuel à elle était tout aussi important. Elle veut maintenant avoir une sexualité plus épanouie. En fait, Christine savait depuis très longtemps qu'elle avait un intérêt pour une sexualité plutôt soumise, mais jamais elle n'aurait osé en discuter avec son mari. Elle avait choisi de ne pas en parler. Par contre, plus tard, elle pourra faire le choix de consulter afin de retrouver son désir sexuel.

En fait, dans un premier temps, il serait plus profitable pour elle de reconnaître ses désirs sexuels et de les accepter, puis, dans un deuxième temps, de les vivre si elle en a envie et de mettre une plus grande diversité dans sa sexualité afin de réveiller son désir et de sortir de sa routine. Cependant, Christine aurait avantage à ne pas faire porter ses désirs sexuels et ses fantasmes uniquement sur une sexualité de soumission. Elle devrait aussi être à même de désirer une sexualité dans laquelle elle est active. Retenons donc encore une fois que nous avons toujours le choix et qu'il n'est jamais trop tard pour prendre une décision susceptible de changer le cours de notre vie, car il s'agit bien ici de notre vie. Faire des choix, c'est prendre le contrôle de sa vie.

Lorsqu'on fait des choix, on risque toujours qu'ils ne soient pas acceptés par les autres. Alors, que se passe-t-il? Ceux qui ont une estime personnelle solide s'en soucieront très peu, car ils n'ont pas besoin de l'approbation des autres pour vivre leur vie. Par contre, les personnes qui ont moins confiance en elles-mêmes se sentiront blessées par la désapprobation des autres. Certaines iront même jusqu'à s'excuser d'avoir fait un choix pour leur propre bien-être ou feront un autre choix qui convient davantage aux autres qu'à elles-mêmes. Au bout du compte, nos choix en disent long sur nous-mêmes, et plus particulièrement sur notre estime personnelle. Plus nos choix sont en accord avec qui nous sommes et ce que nous voulons comme vie, meilleure est notre estime de soi.

Attention ! Je ne parle pas ici des gens qui ne pensent qu'à eux-mêmes en toutes circonstances et agissent en croyant qu'eux seuls détiennent la vérité. Cette attitude ne démontre pas une grande estime personnelle, mais plutôt un grand égoïsme et un manque de respect pour les autres. À la longue, ces personnes risquent de se retrouver seules. Se donner la priorité n'équivaut donc pas à sombrer dans l'égoïsme, mais plutôt à faire un choix. Nos choix sont aussi révélateurs de notre personnalité et de notre passé. Pensez simplement aux *patterns* relationnels dont j'ai parlé précédemment. Nos choix de partenaires et nos choix sexuels sont très révélateurs de qui nous sommes.

En fait, chacun est libre de faire ses propres choix, en tenant compte de la sécurité et de la protection des autres, bien entendu. Ainsi, la meilleure attitude à adopter n'est-elle pas parfaitement résumée par le vieil adage « Vivre et laisser vivre » ? On mène sa vie comme on l'entend et on laisse les autres mener leur vie comme ils l'entendent. Les choix des autres ne nous appartiennent pas. Bien sûr, il arrive que les choix des autres aient des retombées sur soi, mais, le cas échéant, on a aussi le choix et il nous appartient d'exercer ce droit.

Par exemple, Joanie voit son partenaire mettre fin à leur relation. Ça la fait souffrir, mais il a fait ce choix et elle doit le respecter. Son choix à elle réside dans la façon dont elle réagira à cette rupture. Pleurera-t-elle toutes les larmes de son corps en écoutant des chansons tristes et en regardant des photos ? Se jettera-t-elle au cou du premier venu pour oublier sa peine ? Ou prendra-t-elle du recul pour prendre soin d'elle et y voir plus clair ? Ces choix lui appartiennent. En aucun cas, elle ne pourra tenir son partenaire responsable de ses états d'âme.

Les choix que nous faisons et les conséquences que nos choix entraînent, tout cela relève de notre responsabilité. Nos choix permettent aux autres d'apprendre des choses sur nous, mais ils nous renseignent aussi beaucoup sur nous-mêmes. Ainsi, nos choix relationnels et sexuels en disent long sur nos capacités d'intimité. C'est le thème que nous aborderons dans le prochain chapitre.

Chapitre 5
La véritable intimité

D ans la vision populaire, l'intimité est souvent associée à la capacité de tisser des liens étroits avec quelqu'un. Bien que ce soit vrai en ce qui concerne les relations interpersonnelles, il n'en demeure pas moins qu'il faut d'abord songer à créer un lien étroit avec nous-mêmes avant de chercher à en créer un avec une autre personne. Dans l'intimité, nous nous révélons tels que nous sommes. Or, nous pouvons difficilement envisager de révéler à l'autre qui nous sommes si nous ne pouvons pas d'abord nous le révéler à nous-mêmes. Pour y arriver, nous devons, dans un premier temps, avoir une bonne connaissance de nous-mêmes et, dans un deuxième temps, une bonne estime de soi (voir les deux premiers chapitres). Comme je l'ai souligné précédemment, une bonne connaissance de soi suppose aussi une grande honnêteté en ce qui a trait à nos limites personnelles. Autrement dit, nous devons être capables de reconnaître nos défauts et de nous remettre en question, car cette capacité nous permet d'établir un contact étroit avec nous-mêmes.

Donc, l'intimité passe d'abord et avant tout par un contact vrai et sincère avec nous-mêmes, avec nos qualités mais aussi avec nos limites. Ce contact intime implique que nous sommes en mesure de nous autocritiquer, ce qui nous pousse à nous dépasser. Quand ces conditions sont réunies, nous sommes en mesure de devenir des personnes complètes et entières, capables de se suffire à elles-mêmes. Ainsi les relations interpersonnelles deviennent-elles un complément à notre bien-être et non pas une nécessité absolue. Autrement dit, nous ne devrions pas avoir le besoin d'être en relation avec les autres, mais plutôt le désir.

Besoin et dépendance

Quand nous sommes en état de besoin, nous sommes du même coup en état de dépendance, ce qui fait que nos relations avec les autres prennent beaucoup d'importance – une trop grande importance – et nous affectent énormément. Si les gens de notre entourage nous valorisent, nous remercient et nous lancent des fleurs, nous nous sentons importants. Par contre, si une seule personne de notre entourage nous contredit, est en désaccord avec nous, nous nous retrouvons déstabilisés, peinés, frustrés. Quand nous sommes engagés dans ce type de relations, nos états d'âme dépendent des autres et de leur attitude à notre égard. Selon David Schnarch, nous sommes alors au premier niveau d'intimité : nous avons besoin d'être valorisés par les autres pour nous épanouir et nous avons besoin que les autres réagissent positivement à nous, sous peine de nous sentir incapables d'établir une relation d'intimité. Tout cela est dû au fait que, dans l'intimité, nous nous révélons, nous nous découvrons et nous nous mettons à nu avec tout ce que cela implique de vulnérabilité.

Bien des gens se sentent vulnérables lorsqu'ils se dévoilent et sont facilement blessés. Alors, si leur entourage les désapprouve, ils se sentent rejetés. Ils ont de la difficulté à être intimes sans avoir peur du jugement de l'autre et surtout sans être affectés par ce jugement. Leur estime d'eux-mêmes n'est pas solide. Beaucoup de nos relations fonctionnent ainsi – et je ne fais pas seulement allusion aux relations de couple. Combien de fois ai-je vu une relation entre deux amis se détériorer parce que l'un n'approuvait pas le comportement de l'autre, qui avait agi selon sa propre volonté mais n'avait pas répondu aux attentes de son ami, qui, pour cette raison, avait pris le parti de lui tourner le dos ? Évidemment, il faut comprendre que l'on s'entoure généralement de gens qui nous ressemblent, et ce, même quand il s'agit de relations intimes. Autrement dit, de façon générale, si vous êtes le genre de personne qui se situe au premier niveau d'intimité, vous attirerez dans votre vie des gens qui se situent à ce même niveau d'intimité.

Alors, inutile de reprocher aux autres d'être ce qu'ils sont. Cependant, encore une fois, regardez-vous en cherchant à savoir si vous n'êtes pas, vous aussi, à ce niveau de dépendance dans l'intimité...

AU-DELÀ DE LA PEUR DU REJET

Au deuxième niveau d'intimité de Schnarch, qui est l'opposé du premier niveau, les sujets sont capables d'intimité puisqu'ils n'ont plus peur du rejet de l'autre. Ils sont suffisamment solides en eux-mêmes, ils s'aiment suffisamment et ont suffisamment confiance en eux pour ne pas dépendre du regard de l'autre. Alors, ils entrent en relation sans attentes face à l'autre, sans exigences, avec un certain détachement, car ils n'ont pas besoin de l'autre. Ils l'aiment pour ce qu'il est et ce qu'il leur apporte comme différence, mais ils ne cherchent pas à le changer pour qu'il comble leurs besoins, car ils sont en mesure de combler leurs propres besoins. Ainsi, ces gens souffrent beaucoup moins dans leurs relations interpersonnelles, car ils ne nourrissent aucune attente ou presque. Vous vous souviendrez qu'au chapitre 2 j'ai mentionné que le fait de nourrir des attentes nous amène souvent à faire face à la déception. Voilà pourquoi nos relations intimes devraient idéalement être dépourvues d'attentes. Évidemment, étant donné que les premier et deuxième niveaux constituent des opposés, nous nous situons généralement quelque part entre les deux, soit plus près du premier niveau ou plus près du deuxième, celui que nous devrions viser.

En d'autres termes, dans une relation d'intimité, nous devrions être en mesure de nous dévoiler, d'exposer ce que nous sommes sans espérer l'approbation de l'autre. C'est beaucoup plus facile à dire qu'à faire, j'en conviens. Cependant, si vous êtes capable d'y arriver, vos relations de couple seront beaucoup plus riches, parce que profondes et sincères, sans peur du rejet. Il est beaucoup plus aisé d'être soi-même lorsqu'on a confiance d'être aimé pour ce que l'on est, avec nos différences. Donc, pour s'épanouir, les deux partenaires d'un couple doivent cultiver leurs différences. La différence, c'est ce qui fait qu'ils se complètent et qu'ils grandissent, car ils apprennent, se dépassent et sont en constant défi. Par contre, toujours chercher le compromis équivaut à chercher la fusion. Or, à la longue, dans une relation fusionnelle, chacun des partenaires finit par ne plus très bien savoir ce à quoi il croit et qui il est. De plus, il arrive toujours un moment où l'un d'eux reproche à l'autre d'avoir changé – avec raison, d'ailleurs, car, avec les compromis et la recherche de la similitude, ce qui au début lui plaisait chez l'autre tend à disparaître. Ainsi, pour entretenir l'intimité dans leur couple, les partenaires doivent cultiver leur capacité à rester eux-mêmes et se laisser découvrir par l'autre.

Comme nous l'avons vu, l'intimité sous-tend une certaine vulnérabilité, un état dans lequel nous n'aimons généralement pas beaucoup nous retrouver. C'est la raison pour laquelle nombreux sont les gens qui fuient l'intimité. Ils parlent de leur travail et surtout des autres, car parler des autres leur permet d'éviter de parler d'eux-mêmes. Bien entendu, certains veulent établir une relation plus intime et, pour eux, parler des autres, c'est aussi parler d'eux-mêmes, car ils se font connaître en exprimant ce qu'ils approuvent ou désapprouvent chez autrui. Il est par contre beaucoup plus difficile pour ces gens de dire simplement ce qu'ils sont et ce en quoi ils croient sans dénigrer les autres.

QUEL EST VOTRE NIVEAU D'INTIMITÉ ?

Prenez votre journal de bord et installez-vous pour réfléchir à votre niveau d'intimité. Ensuite, répondez à chacune des questions suivantes de manière détaillée (et pas seulement par oui ou par non) :

- Avez-vous besoin d'être en relation avec les autres ?
- Avez-vous besoin d'être valorisé ou d'avoir l'approbation de tout un chacun pour croire en vous ?

- Si quelqu'un n'est pas d'accord avec vous ou fait les choses à sa façon, différemment de vous, comment réagissez-vous ? Êtes-vous en colère, triste ? Vous sentez-vous rejeté ?
- Êtes-vous capable d'accepter que les autres soient différents de vous sans pour autant les juger ?
- Finalement, vous aimez-vous suffisamment pour croire en vous et établir une relation intime avec les autres sans pour autant vous sentir rejeté ou menacé ?

En répondant à ces questions, vous serez en mesure de définir si vous êtes au premier niveau ou au deuxième niveau d'intimité ou, bien entendu, quelque part entre les deux. De plus, si vous êtes en mesure de répondre honnêtement à ces questions, en véritable intimité avec vous-même, vous pourrez faire le choix de vous révéler à quelqu'un de proche, d'être intime avec lui, en lui disant sincèrement le fruit de vos réflexions. Vous n'aurez pas à tout dire, mais ce que vous révélerez, vous le ferez avec intimité, en ayant bien choisi la personne à qui vous vous confierez, car vous n'avez pas non plus à être intime avec tout le monde. Il faut savoir choisir à qui se révéler. Il faut aussi éviter d'adopter l'attitude du « tout ou rien » ou du « j'aime ou j'aime pas ». La vie est beaucoup plus nuancée et c'est ce qui la rend belle. Il en est de même pour nos relations avec les autres. Dans l'intimité, nous n'avons pas à « tout révéler » ou à « ne rien révéler du tout », nous pouvons choisir ce que nous voulons révéler. Comme nous l'avons vu au chapitre 4, nous avons toujours le choix. Personne, dans nos relations avec les autres, ne peut nous obliger à révéler quoi que ce soit que nous ne voulons pas. Nous pouvons parler de certaines choses qui nous concernent et choisir de ne pas parler d'autres choses plus personnelles. Également, nous pouvons préférer dire certaines choses à certaines personnes et d'autres choses à d'autres personnes. Nous ne sommes pas obligés de tout révéler à quiconque, même pas à notre partenaire. Nous avons le droit absolu de garder certaines choses pour nous-mêmes. C'est à nous de décider ce que nous voulons révéler. Il faut apprendre à nous préserver dans nos rapports avec les autres, donc à protéger certaines parties de nous-mêmes. Dans le même sens, nous n'avons pas à être intimes avec tout le monde de la même façon. Se révéler demande de la confiance et un certain rapprochement avec l'autre personne; nous ne pouvons pas nous sentir aussi proches de tous les gens que nous côtoyons. Par conséquent, nous ne pouvons pas avoir les mêmes conversations personnelles avec tout le monde. Encore une fois, nous devons choisir et apprendre à nous préserver. Pour ce faire, nous devons nous poser les questions suivantes :

- Quelle est ma relation avec cette personne ? Suis-je proche d'elle ? Jusqu'à quel point ?
- Comment sont nos relations ? Plutôt bonnes ? Plutôt tièdes ? Plutôt mauvaises ?
- Depuis combien de temps est-ce que je connais cette personne ?
- Est-ce que je lui fais confiance ?
- Est-elle discrète ? Saura-t-elle garder pour elle ce que je lui révélerai ?
- Me confie-t-elle des choses ?

Vos réponses à ces questions vous aideront non seulement à déterminer jusqu'à quel point vous pouvez vous révéler à quelqu'un, mais surtout à évaluer si vos révélations enrichiraient votre relation. Je dis souvent que parler avec son cœur peut amener l'autre à faire de même, mais, encore une fois, on doit se demander si notre interlocuteur est digne de confiance et, pour en juger, on doit y aller peu à peu dans nos confidences. Tout comme l'amitié ou l'amour, l'intimité se développe petit à petit, alors il vaut mieux ne pas précipiter les choses.

LES SPHÈRES DE L'INTIMITÉ

J'ai évoqué précédemment la nécessité d'éviter le piège du tout ou rien. Dans un même ordre d'idées, il est difficile de dire : « Je suis intime avec mon partenaire sur tous les plans de notre vie de couple » ou, au contraire : « Je ne suis pas intime du tout avec mon partenaire ». Il y a des sphères d'intimité dans le couple qui amènent des rapprochements intimes à tous les niveaux. Pour en faire l'illustration, j'aime bien recourir à la métaphore d'une maison, que j'appellerai ici « la maison de l'amour ».

Si l'on veut ajouter un étage à une maison, on doit d'abord s'assurer que le ou les étages du dessous sont assez solides, sinon la construction ne tiendra pas debout. Il en est de même pour l'intimité. Il faut que chaque niveau soit solide et bien installé avant que l'on puisse envisager de passer à un autre niveau. Le solage représente l'amour : c'est la base de la maison et de l'intimité. Sans amour de soi et de l'autre, je ne peux être intime avec l'autre. L'amour peut se définir de bien des façons. Certains confondent « aimer » et « être en amour ». L'expression « être en amour » décrit généralement un état – temporaire – de passion et de sentiments intenses, mais qui n'est pas viable dans le quotidien et à plus long terme. « Aimer » renvoie à des sentiments plus profonds et sincères qui se sont bâtis à force de connaître l'autre, de l'apprécier et de l'accepter tel qu'il est. Pour aimer, il faut être à l'écoute de soi, de l'autre, de nos ressemblances et de nos différences et, surtout, il faut les respecter. Un amour sans respect ne saurait nous permettre de nous épanouir, car éventuellement, si on ne se respecte pas soi-même et si on ne respecte pas l'autre, on ouvre la porte au dépassement des limites et aux abus. S'il n'y a pas d'amour, il sera bien difficile de partager du temps et des bons moments avec l'autre. C'est ce que l'on retrouve au rez-de-chaussée de la maison de l'amour ; ce niveau correspond à l'intimité des loisirs partagés et du plaisir à faire des activités ensemble. Il est essentiel de s'amuser avec son partenaire, de partager des activités que l'on aime et de rire ensemble, de se divertir. Bien sûr, cela sous-entend que nous avons des goûts communs et que nous partageons des loisirs où nous pouvons être ensemble, parfois en groupe, mais parfois seuls également. Si toutes les activités du couple se font en groupe, chacun apprécie moins la présence de l'autre, car il se fond dans le groupe.

Lorsque nous aimons l'autre et que nous avons du plaisir avec lui, nous pouvons passer au deuxième niveau, celui de l'intimité romantique. Nous partageons alors avec l'autre des moments exclusivement amoureux où nos côtés homme/femme ressortent et sont mis en valeur. Je n'insisterai jamais assez sur l'importance pour la femme d'être dans sa féminité et pour l'homme d'être dans sa masculinité. J'y reviendrai d'ailleurs dans un autre chapitre. Nous recherchons la différence, c'est ce qui nous attire. Ainsi, par exemple, une femme ne devrait pas, dans un groupe d'hommes, se comporter comme l'une des leurs, car cela tue à coup sûr l'attirance et la séduction.

Quand le romantisme est présent, on peut passer au troisième étage, celui de l'intimité physique, qui se traduit par des étreintes, des baisers, des caresses, etc., bref par des démonstrations d'amour qui passent par le corps. Je dois souligner que ces gestes vont bien au-delà de l'affection ; bien sûr, l'affection est présente, mais elle n'est pas suffisante en soi. Elle doit être accompagnée de sensualité. Par exemple, embrasser son partenaire rapidement sur la bouche en partant, le matin, est un geste affectueux, mais qui ne mènera pas à l'étage supérieur, celui du désir physique. Par contre, un baiser de quelques secondes, plus sensuel, permettra d'y accéder. Ces contacts physiques plus sensuels nous font ressentir une sorte d'électricité dans le corps et réveillent nos pulsions. Mis à part les gestes sensuels, le désir physique peut aussi être alimenté par l'attention que nous accordons aux aspects physiques attirants de notre partenaire, ce que nous perdons parfois de vue avec le temps. Il peut être bon de reporter notre attention sur les attributs qui ont attiré notre regard au début. Par contre, avoir envie du corps de l'autre, c'est bien beau, mais ce n'est pas suffisant. Après tout, nous sommes des êtres dotés de pensées et d'émotions. Nous avons donc besoin d'entrer en relation avec l'autre à un niveau plus profond, sur le plan affectif, où l'on partage nos émotions, nos aspirations et nos attentes.

À ce niveau privilégié que j'appelle «l'intimité affective» et qui se situe au cinquième étage de la maison de l'amour, nous pouvons nous épanouir et nous révéler cœur à cœur avec l'autre. Nous sommes appelés à y partager notre moi profond, ce que nous sommes réellement, sans masque. Il nous faut aussi une bonne ouverture d'esprit pour voir et accepter la différence de l'autre.

Sans l'acceptation de cette différence, nous nous sentirions mal à l'aise et nous jugerions l'autre, ce qui provoquerait sa fermeture. Nous serions donc coincés ici, sans possibilité d'accéder au sixième étage, celui de l'intimité sexuelle, là où a lieu la révélation des deux partenaires dans leur nudité la plus totale: physique, affective et morale. C'est l'endroit où nous pouvons être totalement nous-mêmes, sans tabous ni appréhensions. Pour accéder à ce niveau, la confiance en l'autre est primordiale et elle se bâtit avec le respect au fur et à mesure que l'on édifie les autres étages de la maison de l'amour. En général, les gens viennent me consulter parce qu'ils veulent connaître l'intimité sexuelle, mais après évaluation de leur situation, ils se rendent bien compte qu'il manque des étages à leur maison ou que les étages existants ne sont pas assez solides.

Finalement, une maison serait incomplète sans un toit. Représentant l'engagement, le toit permettra à la maison de l'amour d'être protégée des intempéries extérieures qui pourraient la fragiliser: les soucis financiers, professionnels, familiaux, les tentations extérieures, etc. Bien sûr, cet engagement exige du respect ainsi qu'une bonne connaissance de soi et de l'autre, mais, en plus, il demande une exclusivité amoureuse et sexuelle qui solidifiera la maison. Voici à quoi pourrait ressembler la maison de l'amour :

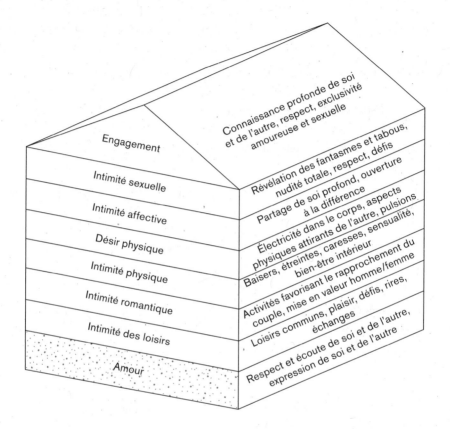

LES SPHÈRES D'INTIMITÉ DE VOTRE RELATION

Dans votre journal de bord, prenez le temps d'évaluer honnêtement les sphères d'intimité de votre relation actuelle. Si vous n'avez pas de relation amoureuse actuellement, considérez votre dernière relation amoureuse. Répondez aux questions suivantes en vous servant d'une échelle de 0 à 10 :

1. Jusqu'à quel point aimez-vous votre partenaire ? Rappelez-vous la distinction que j'ai faite entre éprouver de l'amour et être en amour (amour = solage).

2. Comment évalueriez-vous vos bons moments avec l'autre (intimité des loisirs = rez-de-chaussée) ?

3. Dans quelle mesure éprouvez-vous du plaisir en compagnie de l'autre (intimité des loisirs = rez-de-chaussée) ?

4. Comment qualifieriez-vous la fréquence et la qualité de vos activités romantiques (intimité romantique = deuxième étage) ?

5. Dans votre couple, jusqu'à quel point faites-vous ressortir vos caractéristiques féminines si vous êtes une femme ou vos caractéristiques masculines si vous êtes un homme (intimité romantique = deuxième étage) ?

6. Dans quelle mesure avez-vous avec l'autre des contacts physiques de tendresse tels que des étreintes, des baisers, des caresses, etc. (intimité physique = troisième étage) ?

7. Quelle place occupe la sensualité dans vos contacts physiques (intimité physique = troisième étage) ?

8. Quel est votre désir physique pour votre partenaire, votre envie de son corps (désir physique/génital = quatrième étage) ?

9. Jusqu'à quel point partagez-vous vos émotions, vos aspirations, vos attentes, vos craintes avec votre partenaire (intimité affective = cinquième étage) ?

10. Dans quelle mesure pouvez-vous vous révéler à votre partenaire dans votre nudité la plus totale – physique, affective et morale – sans tabou ni appréhensions (intimité sexuelle = sixième étage) ?

11. Jusqu'à quel point désirez-vous un engagement à long terme avec votre partenaire (engagement = toit) ?

12. Dans quelle mesure êtes-vous capable de vous engager à long terme avec votre partenaire (engagement = toit) ?

Vos réponses à ces questions vous donneront un portrait de votre maison de l'amour. Reportez vos résultats dans la grille ci-dessous.

Étage	/10
Amour	
Intimité des loisirs	
Intimité romantique	
Intimité physique	
Désir physique	
Intimité affective	
Intimité sexuelle	
Engagement	

Tout en vous donnant l'image de votre maison, ces résultats vous aideront à comprendre davantage votre relation de couple et ce qui y manque.

Examinons l'exemple ci-après en supposant que vous avez répondu ce qui suit :

1. Jusqu'à quel point aimez-vous votre partenaire ? Rappelez-vous la distinction que j'ai faite entre éprouver de l'amour et être en amour (amour = solage). Réponse : **10**
2. Comment évalueriez-vous vos bons moments avec l'autre (intimité des loisirs = rez-de-chaussée) ? Réponse : **8**
3. Dans quelle mesure éprouvez-vous du plaisir en compagnie de l'autre (intimité des loisirs = rez-de-chaussée) ? Réponse : **6**
4. Comment qualifieriez-vous la fréquence et la qualité de vos activités romantiques (intimité romantique = deuxième étage) ? Réponse : **3**

5. Dans votre couple, jusqu'à quel point faites-vous ressortir vos caractéristiques féminines si vous êtes une femme ou vos caractéristiques masculines si vous êtes un homme (intimité romantique = deuxième étage)? Réponse: **5**

6. Dans quelle mesure avez-vous avec l'autre des contacts physiques de tendresse tels que des étreintes, des baisers, des caresses, etc. (intimité physique = troisième étage)? Réponse: **9**

7. Quelle place occupe la sensualité dans vos contacts physiques (intimité physique = troisième étage)? Réponse: **6**

8. Quel est votre désir physique pour votre partenaire, votre envie de son corps (désir physique/génital = quatrième étage)? Réponse: **2**

9. Jusqu'à quel point partagez-vous vos émotions, vos aspirations, vos attentes, vos craintes avec votre partenaire (intimité affective = cinquième étage)? Réponse: **4**

10. Dans quelle mesure pouvez-vous vous révéler à votre partenaire dans votre nudité la plus totale – physique, affective et morale – sans tabou ni appréhensions (intimité sexuelle = sixième étage)? Réponse: **1**

11. Jusqu'à quel point désirez-vous un engagement à long terme avec votre partenaire (engagement = toit)? Réponse: **7**

12. Dans quelle mesure êtes-vous capable de vous engager à long terme avec votre partenaire (engagement = toit)? Réponse: **5**

Notez que vous devrez faire une moyenne pour les questions 2 et 3; 4 et 5; 6 et 7; ainsi que 11 et 12.

Étage	/10
Amour	10
Intimité des loisirs partagés	7
Intimité romantique	4
Intimité physique	7,5
Désir physique	2
Intimité affective	4
Intimité sexuelle	1
Engagement	6

Votre maison ressemblerait alors à l'illustration ci-dessous. Comme vous pouvez le constater, elle ne serait pas très solide.

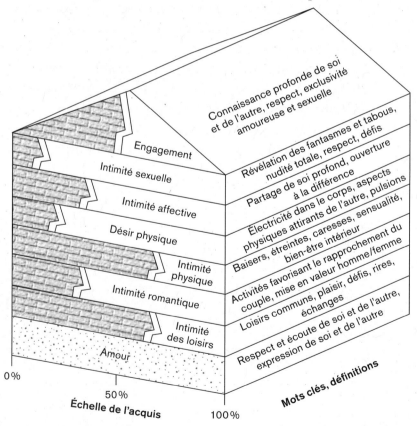

Mes patients me demandent souvent s'il est possible d'avoir accès à un étage sans avoir édifié l'étage précédent. Ainsi, par exemple, à des partenaires qui me diraient qu'ils jouissent d'une intimité sexuelle sans avoir d'intimité affective, je répondrais qu'ils ont probablement du bon sexe sans nécessairement avoir de l'intimité sexuelle, si on se réfère à la définition donnée précédemment. Dans un autre cas, une personne pourrait me dire qu'elle vit de l'intimité affective avec son partenaire sans vivre d'intimité physique. Je lui répondrais que la chose est possible, mais qu'elle doit reconnaître que son couple n'est pas solide, puisque l'intimité physique est importante également pour se sentir proche de l'autre, pour se révéler à lui à un autre niveau. Gardez toujours en tête l'image de la maison et vous verrez que, s'il y a des trous, elle risque de s'effondrer un jour ou l'autre : la construction d'étages supérieurs sera toujours ardue et restera fragile.

LA CAPACITÉ À VIVRE L'INTIMITÉ

Jusqu'à présent, j'ai parlé des différents types d'intimité et j'ai soutenu qu'il est préférable d'avoir le désir d'être intime plutôt que le besoin d'être intime. Mais comme dans toute chose, ce n'est pas parce qu'on souhaite être intime qu'on est nécessairement capable de l'être. Ainsi, en ce qui concerne l'intimité affective et sexuelle, on peut vouloir se révéler à l'autre tel que l'on est, avec nos désirs comme avec nos manques, mais il se peut que, pour différentes raisons, on en soit incapable. Pourquoi ? La raison principale est souvent la peur d'être vulnérable, une peur due à un passé mouvementé où l'on s'est senti manipulé, utilisé, abusé. On garde habituellement de ces expériences une difficulté à faire confiance, alors que la capacité à faire confiance est un ingrédient essentiel pour en arriver à se dévoiler à quelqu'un. Durant l'enfance, on peut aussi avoir vu nos parents s'entre-déchirer. Or, certains enfants s'impliquent beaucoup émotionnellement dans le couple que forment leurs parents ou, devrais-je plutôt dire, certains parents impliquent beaucoup leurs enfants dans la dynamique de leur couple. Il en résulte qu'une fois devenus adultes ils auront peur de revivre la même dynamique de couple que celle de leurs parents. D'autres situations affectent la confiance que l'on peut accorder à autrui. Dans un cas d'agression sexuelle, par exemple, le plus souvent, l'agresseur est une personne de l'entourage en qui la victime avait confiance. Pour des raisons évidentes, une personne qui a été agressée sexuellement par un proche éprouvera par la suite de la difficulté à faire confiance à quelqu'un, même à son partenaire. Elle voudra entrer en intimité, mais aura bien du mal à le faire.

L'INTIMITÉ ET VOUS

Pour savoir si vous avez de la difficulté à établir un lien d'intimité, répondez aux questions suivantes dans votre journal de bord :

- Êtes-vous capable d'exprimer calmement votre point de vue à l'autre même s'il est différent du sien ?
- Êtes-vous capable d'écouter et d'accepter le point de vue d'une autre personne même s'il est différent du vôtre ?
- Êtes-vous capable d'exprimer vos émotions à l'autre ?
- Êtes-vous capable de regarder votre partenaire dans les yeux pendant deux ou trois minutes sans rire et sans éprouver d'inconfort (essayez-le !) ?
- Êtes-vous capable de serrer l'autre dans vos bras, face à face, pendant deux ou trois minutes sans éprouver d'inconfort (essayez-le !) ?
- Êtes-vous capable de révéler une partie sombre de vous-même à votre partenaire sans avoir peur de son jugement ?
- Êtes-vous capable de révéler un secret de votre passé à votre partenaire ?
- Êtes-vous capable de raconter un de vos fantasmes (un vrai !) à votre partenaire ?

Vous aurez compris que plus le nombre de « oui » est grand, plus grande est votre capacité d'intimité.

En d'autres termes, si on veut entrer en intimité mais qu'on a de la difficulté à le faire, il faut en chercher les raisons et travailler sur ces obstacles. En ce qui concerne le manque de confiance en l'autre comme facteur principal de la difficulté à entrer en intimité, il faut vous demander si vous avez de la difficulté à faire confiance aux gens de façon générale, à vos partenaires ou seulement à votre partenaire actuel. S'il s'agit d'un manque de confiance général ou envers les partenaires, il pourrait être bon d'aller consulter en thérapie pour régler ce problème. Par contre, s'il s'agit d'un manque de confiance spécifique en votre partenaire actuel, interrogez-vous sur les raisons de ce manque de confiance et sur l'intérêt que vous avez à poursuivre cette relation. Pour être saine et harmonieuse, une relation ne doit-elle pas être basée sur la confiance ?

Qu'en est-il de la différence qui peut exister entre les désirs d'intimité et les capacités d'intimité entre deux partenaires ? Comme je l'ai dit précédemment, de façon générale, on attire les personnes qui sont au même niveau d'intimité que nous. De plus, on attire le plus souvent un partenaire qui a sensiblement le même niveau de désir et de capacité d'intimité que soi. Cependant, il se peut qu'on exprime notre désir d'intimité de manière différente. Par exemple, un homme peut refuser de discuter de choses personnelles avec sa conjointe alors que, de son côté, elle parle beaucoup, mais seulement des événements de sa vie sans jamais parler de ses émotions. Tous les deux ont des problèmes d'intimité, mais ils ne les manifestent pas de la même façon.

Évidemment, l'intimité fait partie de la vie et elle en est même une dimension importante. Nous devrions donc travailler notre désir d'intimité et notre capacité d'intimité afin d'être plus en harmonie. Que gagne-t-on et que perd-on à être intime ? On gagne beaucoup, c'est certain. Entre autres choses, surtout, l'intimité permet d'être soi-même, de découvrir l'autre tel qu'il est et d'entrer en relation profonde avec lui sans pour autant s'y perdre, car, comme je l'ai déjà dit, être intime exige la capacité à rester soi-même dans la relation avec l'autre. Si l'on reste tel qu'on est, on ne risque pas de se perdre dans la relation, car on aura toujours ses repères pour déterminer si l'on est bien ou non. Ce que l'on peut perdre, c'est de la confiance en soi et en l'autre si la relation se détériore, car un partenaire manipulateur ou abusif peut utiliser certaines informations contre soi pour nous blesser. Par contre, pour apprendre et cheminer davantage, on devra analyser ce qui, dès le début, nous a poussés à choisir un tel partenaire et sur quels signes de sa personnalité on a fermé les yeux. L'important est donc d'y aller graduellement dans l'intimité et, si la relation se termine, de garder en mémoire l'intimité qu'on a vécue et ce qu'elle nous a apporté.

APPRIVOISER L'INTIMITÉ

Avant de clore le sujet, j'aimerais souligner que, comme toute chose, l'intimité, ça s'apprend. D'abord, ce qu'il faut, c'est vouloir. Ensuite, il faut commencer en se donnant de petits objectifs à atteindre. Ne cherchez pas à entrer en intimité avec tout le monde. Choisissez bien. Commencez par des amis ou des membres de votre famille avec qui vous pourriez développer une intimité des loisirs et une intimité affective (on garde les autres paliers d'intimité pour un partenaire). Choisissez les personnes avec qui vous aimeriez créer une toute nouvelle intimité. Commencez par partager un peu de temps avec elles en faisant des activités. Apprenez à les connaître. Intéressez-vous à ce qu'elles sont. Puis, tranquillement, faites quelques confidences et voyez leurs réactions et votre ressenti. Si vous vous sentez respecté et apprécié, c'est un bon départ. Dans le cas contraire, retirez-vous et passez à autre chose. Rappelez-vous que vous pouvez en tout temps vous retirer d'une relation dans laquelle vous êtes inconfortable. Par contre, si vous tenez à cette relation, cela vaudrait la peine de vous expliquer avec la personne. Dans le cas contraire, passez à autre chose.

Quand vous aurez exploré l'intimité en dehors de votre relation de couple et que vous serez satisfait de la manière dont les choses se passent, vous pourrez chercher à créer de l'intimité avec votre partenaire. Encore là, ne tentez pas de tout faire à la fois et de « révolutionner votre couple ». Commencez par de petites choses, en revenant à votre maison de l'amour et en commençant par travailler les premiers étages avant de viser le haut. Sachez que, si votre couple fonctionne d'une certaine façon depuis un bon moment, les changements ne se feront pas facilement. Vous devrez y mettre de la patience et de la persévérance, mais si c'est un de vos désirs les plus chers, cela en vaut la peine. Si votre partenaire n'est pas prêt à vivre cette intimité, encore une fois, interrogez-vous sur votre relation, à savoir si elle vous convient toujours et si vous pouvez vous « passer » de ce type d'intimité. Cette réponse, vous seul la connaissez...

Bien que l'intimité soit une dimension importante de la vie de couple, il est important de savoir comment nous fonctionnons dans notre couple, en tant qu'individus, avec nos propres besoins et nos propres manques. C'est le sujet que j'aborderai dans le prochain chapitre.

Chapitre 6
Quand l'enfant parle au parent qui refuse de l'écouter

L'analyse transactionnelle, une thérapie encore très utilisée de nos jours, a été élaborée par Eric Berne. Elle vise à améliorer les relations interpersonnelles considérées comme des passages, des échanges entre trois modes alternatifs de comportement – le moi parent, le moi enfant et le moi adulte – qui règlent notre conduite et nos rapports avec autrui, dans des situations données. Elle permet de comprendre, entre autres choses, nos changements d'attitude ou le fait que nos relations peuvent être si simples avec certaines personnes et si compliquées avec d'autres, tout cela allant bien au-delà des affinités...

VOS TROIS INSTANCES INTÉRIEURES

Avant de lire la description des différentes parties de nous-mêmes, prenez votre journal de bord et répondez aux questions suivantes :

1. Le moi parent

1.1. Comment décririez-vous votre père ou la figure masculine la plus présente dans votre vie (qualités et défauts) ?

1.2. Comment était votre relation avec votre père ou la figure masculine la plus présente dans votre vie ?

1.3. Comment décririez-vous votre mère ou la figure féminine la plus présente dans votre vie (qualités et défauts) ?

1.4. Comment était votre relation avec votre mère ou la figure féminine la plus présente dans votre vie ?

1.5. D'après vos réponses aux questions 1.1 et 1.2, votre père (ou la figure masculine la plus présente dans votre vie) était-il davantage :
    a) autoritaire, contrôlant et critique ?
    b) enseignant, protecteur et conseiller ?

1.6. D'après vos réponses aux questions 1.3 et 1.4, votre mère (ou la figure féminine la plus présente dans votre vie) était-elle davantage :
    a) autoritaire, contrôlante et critique ?
    b) enseignante, protectrice et conseillère ?

1.7. Lorsque vous commettez une erreur, quelle tendance avez-vous ?
    a) Je me critique.
    b) Je me dis que l'erreur est humaine.

1.8. Vous n'avez pas obtenu le poste convoité, que faites-vous ?
    a) Je me dévalorise.
    b) Je me dis que ce n'était pas pour moi et je cherche un autre poste.

1.9. Vous êtes en conflit avec quelqu'un de votre entourage, que faites-vous ?
    a) Je critique cette personne.
    b) J'essaie de voir tous les côtés de la situation et je cherche la façon de régler le problème.

1.10. Vous devez prendre une décision importante dans votre vie. Que faites-vous ?
    a) Je me mets de la pression en me disant que c'est peut-être ma seule chance et que je dois prendre la bonne décision.

b) Je me donne le temps de réfléchir et je prends la décision qui me semble la meilleure dans les circonstances.

Notez que j'analyserai les résultats un peu plus loin.

2. Le moi enfant

2.1.   Comment étiez-vous lorsque vous étiez enfant ?
   a)   Contestataire face à l'autorité, marginal, frustré, méfiant.
   b)   Peu affirmé, obéissant, timide.
   c)   Confiant, créatif, curieux, persévérant.

2.2.   Lorsque vous étiez enfant, combien de fois vos parents devaient-ils vous demander quelque chose avant que vous le fassiez ?
   a)   Plusieurs fois.
   b)   Une ou deux fois.
   c)   Quelques fois (selon le contexte).

2.3.   Enfant, quelles étaient vos activités ?
   a)   Activités solitaires, jeux plus agressifs (football, combat, etc.).
   b)   Activités solitaires, jeux d'équipe (coopération), activité individuelle.
   c)   Sports, activités créatives.

2.4.   Enfant, combien d'amis aviez-vous ?
   a)   Peu.
   b)   Plusieurs.

2.5.   Enfant, comment étaient vos relations avec les adultes de votre famille ?
   a)   Plutôt difficiles ; confrontantes.
   b)   Plutôt faciles ; autoritaires/soumises.
   c)   Plutôt faciles ; coopératives.

2.6. Enfant, comment étaient vos relations avec les enseignants?
   a) Plutôt difficiles; confrontantes.
   b) Plutôt faciles; autoritaires/soumises.
   c) Plutôt faciles; coopératives.

2.7. Aujourd'hui, comment percevez-vous l'autorité?
   a) Je la perçois négativement.
   b) Je la considère comme une nécessité.
   c) Je la trouve bonne dans certains contextes.

2.8. Comment sont vos relations avec votre employeur?
   a) Plutôt difficiles.
   b) Bonnes.
   c) Généralement bonnes; il y a parfois des désaccords.

2.9. Comment sont vos relations avec vos collègues de travail?
   a) Plutôt difficiles.
   b) Bonnes.
   c) Généralement bonnes; il y a parfois des désaccords.

2.10. Comment vivez-vous la critique?
   a) J'y réagis assez mal; je sors de mes gonds.
   b) J'y réagis assez mal; je me sens triste et rejeté.
   c) La critique me laisse indifférent; je connais ma valeur.

2.11. Êtes-vous créatif?
   a) Oui.
   b) Non.

2.12. Vous conduisez et, devant vous, le feu de circulation est jaune. Vous savez que vous avez le temps soit de freiner, soit de passer. Que faites-vous?
   a) Je passe.
   b) Je freine.

c) Je passe en klaxonnant pour avertir les autres conducteurs.

2.13. Comment réagissez-vous face à une difficulté ?
   a) Je me dis que j'y arriverai coûte que coûte.
   b) Je me dis que ce n'était pas pour moi et j'abandonne.
   c) Je cherche un autre moyen d'atteindre mon but.

2.14. Lorsque vous allez voir un professionnel (médecin, avocat, thérapeute, comptable, etc.), comment vous sentez-vous ?
   a) Je me sens supérieur à lui, je considère qu'il n'a rien à m'apprendre.
   b) Je me sens inférieur à lui, je considère qu'il en connaît plus que moi et que je dois lui faire confiance.
   c) Je me sens égal à lui, je considère qu'il connaît son travail, mais que je dois exercer mon jugement.

2.15. Comment les gens de votre entourage vous décriraient-ils ?
   a) Ils diraient que je suis une personne insaisissable, méfiante, obstinée, critique.
   b) Ils me décriraient comme une personne facile d'approche, réservée, capable de faire des compromis.
   c) Ils diraient que je suis une personne confiante, sûre de moi, créative, ambitieuse.

Encore ici, notez que j'analyserai les résultats un peu plus loin.

3. Le moi adulte
3.1. Avez-vous tendance à aller chercher de l'information sur un sujet ?
   a) Oui.
   b) Non.

3.2. Quelle utilisation faites-vous principalement de l'ordinateur?
   a) Je m'en sers pour faire des recherches.
   b) Je m'en sers pour me divertir.

3.3. Prenez-vous le temps de réfléchir et d'analyser une situation?
   a) Oui.
   b) Non.

3.4. Êtes-vous quelqu'un du type rationnel et réfléchi?
   a) Oui.
   b) Non.

3.5. Lorsque vient le temps de faire un choix ou de prendre une décision, avez-vous tendance à soupeser le pour et le contre ou à agir de manière plutôt impulsive?
   a) Je soupèse le pour et le contre.
   b) J'agis de manière plutôt impulsive.

3.6. Demandez-vous aux autres leur avis sur un sujet de discussion?
   a) Oui.
   b) Non.

3.7. Avant de prendre une décision qui implique d'autres personnes, leur demandez-vous leur avis?
   a) Oui.
   b) Non.

Examinons maintenant la nature des trois dimensions qui font partie de chacun de nous ainsi que la façon dont elles ressortent dans notre quotidien et dans nos relations avec les autres. Le graphique suivant illustre bien ces différentes dimensions et leurs sous-parties, en ce qui concerne le parent et l'enfant.

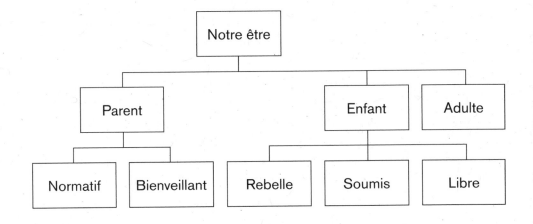

LE MOI PARENT

Tout d'abord, le parent est cette partie en nous qui cherche à ordonner, à contrôler et à critiquer les gens ainsi que leurs actions. Mais c'est aussi cette partie qui peut chercher à conseiller, à protéger, à encadrer, à enseigner, etc. Notre parent intérieur est le plus souvent inspiré des modèles parentaux ou des adultes significatifs que nous avons côtoyés durant l'enfance. En fait, dans notre partie «parent», nous reproduisons généralement le type de parents que nous avons eus. Par exemple, s'ils étaient plutôt autoritaires, critiques et cherchaient à nous contrôler, il y a de fortes chances que notre parent intérieur ait ces caractéristiques. Ainsi, lorsque nous avons des problèmes, nous avons tendance à nous blâmer sévèrement et à nous dénigrer. Ici, c'est le parent normatif qui est à l'œuvre. À l'opposé, si nos parents nous ont écoutés, conseillés et appuyés au long de notre enfance et de notre adolescence, nous avons été plus à même de devenir intérieurement ce type de parent. Par conséquent, lorsque nous avons des difficultés, nous prenons soin de nous en nous réconfortant nous-mêmes, en nous remontant le moral, en nous disant que les choses vont se tasser, etc. Ici, c'est le parent bienveillant qui est à l'œuvre.

Maintenant, regardons vos réponses. Pour les questions 1.5 à 1.10, si vous avez répondu davantage de « a », votre parent intérieur est plutôt normatif, alors que si vous avez répondu davantage de « b », votre parent intérieur est plutôt bienveillant. Les questions 1.1 à 1.4 peuvent vous servir à amorcer une réflexion sur vos parents et la relation que vous avez entretenue avec eux. À partir de cela, vous pourrez mieux comprendre votre parent intérieur. Il est rare que notre parent intérieur corresponde à un seul type, mais, généralement, il y en a un qui prédomine.

Il est important que le parent bienveillant soit le plus présent à l'intérieur de nous, car nous avons tous besoin de douceur. Or, cette douceur, nous devons nous la donner à nous-mêmes. À l'âge adulte, nous pouvons corriger certaines choses ; par exemple, faire preuve de tendresse et d'indulgence envers soi-même fait partie des choses essentielles. Cela ne va pas sans efforts, mais prendre conscience de nos problèmes, c'est déjà faire un pas vers la guérison.

Alors, si votre parent intérieur est du type normatif, prenez-en conscience et donnez-vous comme objectif d'être un parent plus bienveillant en étant à l'écoute de vos besoins et de vos désirs et en vous accueillant, même dans vos erreurs. En d'autres termes, faites preuve de douceur et de compréhension à votre égard, plus particulièrement à l'égard de votre partie vulnérable et sensible, votre partie « enfant ».

LE MOI ENFANT

Cette deuxième partie, le moi enfant, se compose d'émotions, de désirs et de déceptions. C'est la spontanéité, l'émerveillement, l'intuition, la partie créative de notre être. L'enfant ne juge pas, il est ouvert d'esprit et accessible. Cette partie de nous-mêmes en tant qu'adultes représente souvent l'enfant que nous avons été, ou plutôt l'enfant qu'on nous a amenés à être. Ainsi, les parents ont eu une importante influence sur l'enfant que nous sommes devenus et sur notre enfant intérieur actuel. Notre enfant intérieur est en lien direct avec la façon dont nous avons été élevés.

Chaque individu étant différent, il existe plusieurs types d'enfants. Je me concentre habituellement sur trois types d'enfants, car ce sont ceux que j'ai vus le plus souvent : l'enfant rebelle, l'enfant soumis et l'enfant libre. J'aimerais spécifier tout de suite que les produits du parent normatif que sont l'enfant rebelle et l'enfant soumis peuvent être amenés respectivement à se soulever contre les adultes et l'autorité, dans le cas de l'enfant rebelle, ou à se soumettre à ce qui lui est demandé, dans le cas de l'enfant soumis. L'enfant se sent contrôlé et son développement est limité par le côté strict du parent qui veut avant tout imposer ses lois. L'enfant rebelle se démarque des autres par son attitude différente ; il met les autres au défi de lui prouver quoi que ce soit ; il est marginal et se marginalise lui-même par rapport aux autres, car il ne veut surtout pas être « comme tout le monde ». Pour lui, ce serait épouvantable. Il éprouve beaucoup de frustration et de colère envers les autres. C'est l'enfant qui tape du pied quand il n'a pas ce qu'il veut et qui ne fait confiance qu'à lui-même. Il est très difficile de gagner sa confiance. L'adulte qui a un enfant intérieur rebelle présente les mêmes caractéristiques. Il lui est très difficile de vivre dans notre société, où l'adaptation et le respect sont des valeurs clés. Il a aussi beaucoup de difficultés à créer des relations satisfaisantes avec son entourage et il est perçu comme un être insaisissable.

Le parent normatif peut aussi amener l'enfant à faire ce qu'il souhaite, c'est-à-dire à se soumettre à ses lois tout comme à sa façon de vivre et de penser. L'enfant se montre alors soumis. Pour survivre, il a appris qu'il valait mieux obéir à l'autorité, même s'il n'était pas d'accord. Il est plutôt timide et réservé et exprime peu son opinion. Il respecte les règles et a tendance à s'effacer devant les autres. Il ne discute pas ce qu'on lui demande. Adulte, l'enfant intérieur soumis a de la difficulté à s'affirmer devant les autres. Il ne discute pas les directives des employeurs. Il exprime peu son point de vue. Il a peu d'amis et se retrouve souvent dans des situations où l'on abuse de lui. Donc, le même parent normatif peut élever un enfant qui répond par la rébellion et un autre qui répond par la soumission. L'enfant réagira différemment selon sa personnalité et la façon dont le parent normatif imposera son cadre. S'il l'impose de manière abusive, l'enfant risque davantage d'être rebelle. S'il l'impose de manière ferme sans nécessairement être abusif, l'enfant risque davantage d'être soumis.

Finalement, le parent bienveillant élève l'enfant libre. Il lui laisse une certaine liberté pour qu'il acquière son autonomie et sa confiance en lui. Cet enfant est créatif et curieux. Il essaie de nouvelles choses. Il ne se laisse pas abattre devant la difficulté ; il fait au moins un essai. Quand quelque chose ne fonctionne pas, il se demande comment faire autrement. Il sait comment obtenir ce qu'il veut à l'aide de gestes attendrissants. Une fois adulte, l'enfant intérieur libre sait prendre ses propres décisions sans les imposer aux autres. Il sait être lui-même et est bien dans sa peau. Ses relations avec les autres sont bonnes. Il a une certaine créativité.

Maintenant, regardons vos réponses pour voir quel type d'enfant vous êtes principalement. Si vous avez répondu un plus grand nombre de « a » aux questions – sauf à 2.11, où vous auriez répondu « b » –, vous êtes davantage un enfant rebelle. Si vous avez répondu un plus grand nombre de « b » aux questions – sauf à 2.4, où vous auriez répondu « a » –, vous êtes davantage un enfant soumis. Enfin, si vous avez répondu un plus grand nombre de « c » aux questions – sauf à 2.4, où vous auriez répondu « b », et à 2.11, où vous auriez répondu « a » –, vous êtes davantage un enfant libre.

Encore une fois, on ressemble rarement à un seul type d'enfant, mais on constate le plus souvent qu'il y a un type qui prédomine en nous. Bien sûr, nous devrions développer davantage l'enfant libre à l'intérieur de nous-mêmes. Comme son nom l'indique, il a une liberté d'être et il laisse aux autres la même liberté. Autrement dit, il pratique l'art de vivre et de laisser vivre. Ses rapports avec les autres sont généralement très bons, car il y met un grand respect. Il a une bonne confiance en lui-même et cherche constamment à s'améliorer.

LE MOI ADULTE

L'adulte constitue la troisième et dernière partie en nous. Notre adulte intérieur est la partie de nous-mêmes qui réfléchit, pèse les pour et les contre, se renseigne sur des sujets, demande l'opinion des autres et prend des décisions en tenant compte des autres lorsqu'ils sont concernés. C'est le côté plus rationnel de notre être. Si vous avez obtenu davantage de « a » dans cette section, cela signifie que votre adulte intérieur est bien développé. Si vous avez obtenu davantage de « b », votre adulte n'est pas suffisamment développé. L'adulte est une partie importante de notre être et il est préférable qu'elle soit bien développée, car elle nous apporte la maturité et la capacité d'analyse qui évitent les coups de tête et les blessures inutiles, souvent causées par la trop grande prédominance de l'enfant et du parent par rapport à l'adulte. (Au besoin, reportez-vous à l'organigramme de la page 121.)

QUELLE EST L'IMPORTANCE DE CHACUNE DE VOS TROIS INSTANCES ?

Maintenant que vous pouvez vous classer selon votre type de parent et d'enfant et que vous connaissez la place qu'occupe votre adulte, il importe de savoir dans quelles proportions ces trois parties de votre être sont présentes. Notez qu'elles devraient idéalement être présentes à parts égales. Cependant, étant donné que la réalité est souvent tout autre, voyons dans quel ordre d'importance ces trois parties sont présentes en vous. Parmi les courtes définitions ci-dessous, choisissez les trois qui vous décrivent le mieux et attribuez-leur une cote de 1 à 3 selon leur importance.

L'enfant : Je vis beaucoup d'émotions. J'ai besoin des autres. La réalisation de mes désirs est importante pour moi. Le plaisir et l'amusement font partie de ma vie. J'aime relever des défis.

Le parent : J'aime mettre les choses dans leur contexte, fixer des limites. J'ai tendance à offrir mon soutien et mes conseils. Je cherche à protéger. J'aime superviser et m'occuper des choses, parfois de celles des autres.

L'adulte : Je suis plutôt rationnel. J'analyse les situations et je réfléchis aux différentes options avant de prendre des décisions. J'aime lire pour apprendre de nouvelles choses. J'observe facilement les règlements.

L'exercice peut donner plusieurs combinaisons possibles. Par exemple, une personne peut avoir son côté enfant très développé, son côté parent un peu moins et son côté adulte, très peu. Isabelle en est un bel exemple. Elle est très émotive et elle aime rire et se divertir (côté enfant). Elle a un peu de difficulté à se fixer des limites et à s'encourager quand c'est le moment (côté parent). Enfin, elle est très peu rationnelle et adopte difficilement un point de vue objectif. Elle n'aime pas les règles et réfléchit très peu, s'ennuyant lorsqu'il y a des discussions de groupe sur des sujets d'actualité (côté adulte).

Le cas de Jonathan est un autre bon exemple. L'enfant en lui est peu développé tandis que son parent l'est un peu plus et que son adulte l'est beaucoup plus. Jonathan a fait des études universitaires en comptabilité. Il est sérieux, aime décortiquer des problèmes et analyser des données (côté adulte). Par contre, se divertir, c'est une perte de temps selon lui. Il vit peu d'émotions (côté enfant). Lorsqu'il fait une erreur, il se blâme souvent et se traite d'idiot de ne pas avoir compris plus tôt (côté parent).

Je pourrais vous donner plusieurs exemples comme ceux-là, mais l'essentiel pour vous est de comprendre d'abord l'importance de chacune des trois parties en vous-même, puis le type de parent et d'enfant qui prédomine. Rappelez-vous qu'idéalement nous devrions chercher à développer le parent bienveillant et l'enfant libre et que nous devrions laisser une place importante à l'adulte.

LES MULTIPLES INTERACTIONS

Le plus intéressant dans tout cela, c'est de comprendre que ces trois parties à l'intérieur de nous-mêmes interagissent avec les parties des autres personnes que nous rencontrons. Il en résulte parfois une bonne entente et, d'autres fois, des incompréhensions et des frustrations. Je pourrais illustrer plusieurs situations de la vie courante avec des collègues, des membres de la famille ou des personnes de l'entourage, mais je vais m'en tenir au couple, puisque c'est l'intérêt de ce livre.

Prenons l'exemple de Maude et Michaël. Maude travaille beaucoup et, lorsqu'elle rentre à la maison, elle a envie de relaxer et de s'amuser. Michaël trouve qu'elle fait peu de tâches ménagères, se plaint du désordre et lui demande de se ramasser. Maude refuse en disant que ça ne dérange rien. Puis Michaël la contraint à ranger, soutenant qu'il n'a pas à le faire pour elle. Il refuse de faire quelque activité de couple que ce soit avec elle si elle ne range pas d'abord. Maude éclate et l'envoie promener.

Cet exemple nous démontre bien que Michaël a laissé son parent normatif s'exprimer et que Maude a réagi par l'entremise de son enfant rebelle. Elle aurait pu laisser réagir son enfant soumis, mais c'est probablement moins dans sa personnalité. Cette situation est typique d'un couple. Par contre, elle ne sera pas résolue de manière satisfaisante si chacun reste dans son rôle.

Voyons un autre exemple. Émilie se sent rejetée par ses collègues de travail. Elle en parle à son conjoint, Jérôme, qui, d'un point de vue très rationnel, tente de lui faire voir les raisons possibles de leur comportement : surcharge de travail, problèmes personnels, etc. Émilie dit à Jérôme qu'il ne la comprend pas et se met à pleurer. Elle lui demande de l'écouter, ce à quoi Jérôme répond que c'est exactement ce qu'il fait et qu'il ne comprend pas sa réaction. Émilie s'isole dans sa chambre. On voit ici que Jérôme laisse parler son adulte intérieur, alors qu'Émilie est dominée par son enfant intérieur soumis. Elle aurait eu davantage besoin du parent bienveillant.

Bien des chicanes de couple ont lieu parce que les deux partenaires sont cantonnés dans des rôles qui les opposent plutôt que dans des rôles qui les amènent à se compléter. Par exemple, l'un des partenaires est enfermé dans le rôle de l'enfant rebelle et l'autre dans le rôle du parent normatif. Ou encore, l'un est pris dans le rôle de l'enfant soumis et l'autre dans le rôle de l'adulte. Il est important de comprendre que les types les plus présents en nous (ceux que vous avez découverts à l'aide des questionnaires) déterminent habituellement notre façon d'entrer en relation avec l'autre. Donc, si Annabelle est plutôt enfant rebelle, parent bienveillant et adulte bien présent, tandis que Thierry est plutôt enfant soumis, parent normatif et adulte bien présent, il y aura des frictions importantes tôt ou tard, notamment lorsque l'enfant rebelle d'Annabelle rencontrera le parent normatif de Thierry. Elle ne comprendra pas son attitude, car, comme elle est du type parent bienveillant, elle s'attendra à ce que Thierry soit de même.

Vous vous demandez peut-être comment il est possible qu'Annabelle soit enfant rebelle et parent bienveillant, alors que j'ai dit précédemment que l'enfant rebelle est un produit du parent normatif. Il y a deux hypothèses possibles. La première, c'est qu'Annabelle a développé un parent bienveillant en réaction aux parents normatifs qu'elle a eus. La seconde, moins plausible, c'est qu'Annabelle a développé un enfant rebelle sur le tard, en raison d'événements difficiles dans sa vie ou de l'influence de certains amis.

En fait, la bonne nouvelle, c'est qu'on peut toujours changer et, par voie de conséquence, s'améliorer. Il n'en demeure pas moins préférable de développer l'adulte ainsi que l'enfant libre et le parent bienveillant de manière plus importante que les autres sous-types. Si les deux partenaires ont un adulte développé et qu'ils sont davantage enfants libres et parents bienveillants, ils formeront un couple soudé où chacun s'épanouit et aide l'autre à s'épanouir davantage. En tant qu'enfants libres, ils sauront :

- s'amuser ensemble ;
- avoir un renouveau dans leurs activités ;
- faire preuve d'une certaine autonomie et d'une certaine indépendance dans leur couple ;
- être bien chacun dans leur peau et avoir confiance en eux-mêmes ;
- faire face aux difficultés.

En tant que parents bienveillants, ils sauront :
- s'écouter mutuellement ;
- s'épauler dans les moments difficiles ;
- s'encourager l'un l'autre dans leurs démarches.

Enfin, en ayant un adulte intérieur bien développé, ils seront en mesure :

- d'avoir un regard plus objectif sur les événements de leur vie ;
- d'analyser les pour et les contre afin de prendre de meilleures décisions ;
- lorsque c'est nécessaire, de mettre les émotions de côté pour mieux réfléchir et pouvoir échanger ;
- d'avoir des discussions intéressantes qui les nourriront mutuellement des opinions de l'autre.

Par ailleurs, je dois souligner que la vie sexuelle est aussi grandement influencée par le parent, l'enfant et l'adulte intérieurs. Ainsi, par exemple, je constate que les gens qui me consultent parce qu'ils souffrent d'une lacune dans leur sexualité – qu'il s'agisse d'un manque de désir ou d'un manque de plaisir – ont très souvent un enfant soumis et un parent normatif bien présents à l'intérieur d'eux-mêmes. Le fait est que la sexualité est un domaine où l'on doit être capable de se laisser aller et de s'amuser sans jugement. Par conséquent, le bon développement de notre enfant intérieur libre est une clé de l'épanouissement sexuel. La personne qui se rapproche davantage du type enfant soumis s'exprimera peu dans sa sexualité et se laissera peu aller par crainte du jugement – le sien et celui de l'autre. Elle aura aussi de la difficulté à s'amuser, car l'enfant soumis obéit principalement au parent : il joue peu et s'amuse peu. Or, la sexualité est davantage un terrain de jeu qu'un terrain de performance où chaque geste est scruté et évalué.

J'ai vu plusieurs patients souffrant de problèmes érectiles et éjaculatoires qui avaient un enfant intérieur soumis bien développé. Ils étaient très sensibles à l'idée de satisfaire leur partenaire. Fait à noter, leurs conjointes avaient souvent un parent normatif bien développé qui les poussait à critiquer chacun des gestes de leurs compagnons, les amenant à se replier sur eux-mêmes et à perdre encore davantage confiance en eux. Mes patients ne comprenaient pas, ni leurs conjointes d'ailleurs, qu'au lit cette interaction entre l'enfant soumis et le parent normatif alimentait grandement le problème, à plus forte raison lorsqu'ils n'avaient jamais eu ce genre d'ennui avec d'autres femmes auparavant.

On peut ainsi constater qu'une personne dont l'enfant intérieur soumis est bien développé a souvent une sexualité pauvre, car ce type de moi enfant laisse peu de place à l'expression et au laisser-aller. Plusieurs femmes qui me consultent pour un manque de désir sexuel m'avouent qu'elles n'ont pas de difficulté lorsqu'elles prennent de l'alcool. Or, nous savons tous que, l'alcool agissant comme désinhibiteur, il peut encourager la levée des inhibitions sexuelles. Autrement dit, sous l'effet de l'alcool, l'enfant intérieur soumis s'efface temporairement au profit de l'enfant libre, permettant à la personne de se laisser aller davantage. Attention ! Je ne suis pas du tout en train de faire l'éloge de l'alcool en tant que stimulant de la sexualité. Je crois cependant que les gens qui ont de la difficulté à se laisser aller sur le plan sexuel sont des enfants soumis à l'intérieur d'eux-mêmes et que, à mon sens, plutôt que de prendre de l'alcool, ils devraient travailler à développer davantage leur enfant intérieur libre. C'est du moins ce que je les amène à faire en thérapie.

Quant à l'adulte ayant davantage un enfant rebelle à l'intérieur de lui, sa façon de vivre sa sexualité est grandement influencée par le type de parent intérieur qu'il a. Celui dont le parent intérieur est normatif a une sexualité plutôt hors norme, mais cachée. Son enfant rebelle lui dicte un comportement hors norme, mais il sait au fond de lui qu'il serait jugé parce qu'il vit une sexualité différente de la majorité – ce que plusieurs appellent «une sexualité atypique». Donc, son parent normatif l'amène à vivre une double vie, pour ainsi dire. Je pense ici aux hommes qui vivent une sexualité compulsive en ayant recours à des services sexuels ou en fréquentant des clubs discrets où l'on ne peut soupçonner ce qui se passe. Ils finissent par consulter parce qu'ils sont malheureux de cette double vie et conscients qu'une carence se cache derrière leur comportement.

À l'opposé, un homme qui, à l'intérieur de lui-même, a un enfant rebelle couplé à un parent bienveillant vit sa sexualité de manière plus ouverte, avec une certaine désinvolture. Par exemple, il a plusieurs partenaires par semaine, fait des *trips* à plusieurs, toujours consentants. Il vit une sexualité différente de celle de la moyenne des gens, mais de manière très légère, avec un accord en lui-même. Son parent bienveillant permet à son enfant rebelle d'exprimer et d'assouvir ses désirs sans trop de culpabilité. Même si cette combinaison enfant rebelle-parent bienveillant peut sembler correcte à première vue, elle ne peut durer, dans la mesure où, un jour ou l'autre, la personne adulte se lassera de sa sexualité rebelle et aura besoin de s'investir dans une relation. Encore une fois, voilà pourquoi on a intérêt à privilégier la combinaison enfant libre-parent bienveillant. Cette personne ressentirait des désirs, des pulsions et des émotions dans sa sexualité qu'elle aurait envie d'exprimer et qu'elle se permettrait d'exprimer, grâce au parent bienveillant. Et l'adulte dans tout cela? L'adulte est le rationnel et, bien que le rationnel et l'analyse soient très utiles dans la vie de tous les jours, la sexualité n'en a pas autant besoin. Donc l'adulte peut être présent, mais il faut savoir, lors de nos rencontres sexuelles, faire davantage de place à l'enfant libre et au parent bienveillant.

Ce chapitre vous a permis d'être au fait de vos parties enfant, parent et adulte, et de les travailler de manière à avoir une vie personnelle, relationnelle et sexuelle plus épanouie. Nous allons maintenant voir, à l'aide du prochain chapitre, la notion d'engagement, en quoi elle est importante, ce qui peut lui nuire et comment la vivre.

Chapitre 7
Prendre un engagement, est-ce que ça me tente ?

Le mot « engagement » fait peur à bien des gens aujourd'hui. Pour plusieurs, l'engagement est synonyme de responsabilités et d'obligations. Vu sous cet angle, on peut effectivement se demander quel intérêt il y a à s'engager. En réalité, l'engagement est beaucoup plus intéressant et bénéfique qu'il n'y paraît à première vue. Ici, bien entendu, je parle de l'engagement dans un couple.

Pour plusieurs, la notion même de couple est dépassée, c'est donc dire que pour eux la notion d'engagement l'est encore davantage. Certains ont peur de l'engagement, tandis que d'autres prétendent ne pas en avoir besoin ou ne pas en avoir envie. Un couple peut-il exister sans engagement ? Ou, si l'on préfère, l'engagement est-il nécessaire à une vie de couple épanouie ? Dans ce chapitre, je tenterai de répondre à ces questions et à bien d'autres encore. Surtout, j'espère vous amener à réfléchir sur votre propre degré d'engagement dans vos relations passées et actuelles.

S'ENGAGER D'ABORD ENVERS SOI-MÊME

Avant de penser à un quelconque type d'engagement dans le couple, il faut d'abord et avant tout s'engager face à soi-même. J'ai l'impression de me répéter au fil des chapitres de ce livre, mais l'engagement premier que l'on doit prendre est d'abord de se respecter soi-même, de s'aimer et d'aller dans le sens de ses valeurs et de ses projets. Ensuite seulement pourra-t-on penser à trouver quelqu'un qui saura nous accompagner dans ce cheminement et qui voudra s'engager avec nous. S'il en est autrement, on risque de s'engager avec quelqu'un pour bien d'autres raisons que l'amour et le désir de continuité; pour des raisons qui, à la longue, risquent de nous blesser: besoin d'amour, insécurité matérielle et affective, peur de la solitude, dépendance sexuelle, maintien de la paix familiale, désir de partager le quotidien avec ses enfants, etc.

Je pense par exemple à Hélène, une femme de 48 ans qui a souvent eu des relations amoureuses houleuses dans sa vie. Hélène ne peut pas s'imaginer vivre seule. Elle a besoin d'aimer et d'être aimée. Elle a besoin qu'on la valorise et qu'on la complimente. Elle veut se sentir utile. Pour cela, elle est prête à faire bien des concessions. Elle tolère des conjoints jaloux et possessifs, car, eux, ils l'aiment, croit-elle. Elle est tellement dépendante qu'elle a besoin que quelqu'un tombe dans le contrôle et la jalousie pour se sentir aimée. Elle aime l'argent et adore se faire gâter, car, pour elle, c'est la façon qu'un homme a de lui montrer qu'il l'aime.

Ce qu'elle ne réalise pas, c'est que les hommes qui la gâtent ainsi ne l'aiment pas réellement. Par leur contrôle et leur argent, ils prennent du pouvoir sur elle, qui devient de plus en plus dépendante d'eux, ce qui, par le fait même, leur donne encore plus de pouvoir sur elle. À tout coup, elle s'engage sincèrement avec son amoureux, mais pour combler ses dépendances. Chaque fois, cependant, elle essuie un échec et se dit que le prochain sera le bon. Son estime d'elle-même diminue toujours de plus en plus, tandis que sa dépendance, elle, augmente dangereusement.

Avant de parler en détail des différents niveaux d'engagement, je tiens à préciser que l'engagement est souvent implicite, c'est-à-dire qu'on ne dit pas forcément à l'autre qu'on est engagé vis-à-vis de lui. En fait, l'engagement est d'abord intérieur. Il n'y a que nous-mêmes qui savons jusqu'à quel point nous sommes engagés vis-à-vis de l'autre. Aimer quelqu'un, même secrètement, est une forme d'engagement. Nous savons dans notre cœur que nous tenons à l'autre et si nous sommes exclusifs dans nos sentiments. L'exclusivité est habituellement comprise dans l'engagement, mais elle peut se situer sur le plan des pensées amoureuses et sexuelles, des sentiments et des comportements. Un certain engagement est habituellement palpable dans les comportements et les attitudes de quelqu'un, mais le véritable engagement est intérieur. Par conséquent, seul l'autre sait jusqu'à quel point il est engagé vis-à-vis de nous, à moins qu'il choisisse de nous l'exprimer ouvertement. En fait, pour exprimer verbalement son engagement à quelqu'un, il faut déjà être assez confiant de ses sentiments et sûr de sa volonté de rester uni à l'autre. Bien entendu, ce qu'une personne dit doit être en concordance avec ce qu'elle ressent. Dans le cas contraire, elle n'est pas sincère avec elle-même et ne peut donc pas l'être avec l'autre. Si une personne dit qu'elle est engagée vis-à-vis de l'autre par peur de le perdre, mais qu'elle ne l'est pas réellement dans son for intérieur, elle fait quand même preuve d'un certain engagement; sinon, elle ne se donnerait pas la peine de dire qu'elle est engagée. Elle romprait la relation, point. Par contre, elle peut être engagée pour d'autres raisons que l'amour et le désir de bâtir sa vie avec l'autre. Je reviendrai un peu plus loin sur les différentes raisons qui peuvent nous pousser à l'engagement, mais, pour l'instant, regardons ensemble les différents degrés d'engagement.

LES DEGRÉS DE L'ENGAGEMENT

On ne peut pas dire que l'on s'engage ou que l'on ne s'engage pas, car voir l'engagement sous l'angle du tout ou rien est plutôt réducteur. En fait, dans l'engagement comme dans beaucoup d'autres choses, plusieurs degrés sont possibles. Par conséquent, quand on dit qu'on ne veut pas s'engager, on parle d'un type ou de certains types d'engagement. On démontre qu'on est engagé jusqu'à un certain point vis-à-vis de l'autre, même si on ne l'est peut-être pas autant qu'il le souhaiterait...

Par exemple, avoir des relations sexuelles régulièrement avec quelqu'un, sans former un couple, constitue un certain engagement. Les deux partenaires consentent alors à échanger affection et plaisir dans un cadre qui leur convient. L'exclusivité sexuelle ne fait pas nécessairement partie de leur engagement, mais il arrive toutefois qu'elle en fasse partie. Ce type d'engagement ne tient habituellement pas très longtemps, car il implique souvent la dissimulation. Même si les amours secrètes peuvent sembler excitantes à première vue, on finit par s'en lasser. Tôt ou tard, on a des sentiments pour notre partenaire, ce qui peut le faire fuir. Il arrive aussi que l'on rencontre quelqu'un avec qui l'on a envie de vivre un autre type d'engagement, comme sortir avec lui ou le fréquenter. On se montre publiquement avec notre partenaire et on partage des moments affectifs et sexuels avec lui. On ne se cache plus. On passe de bons moments ensemble. Dans ce cas aussi, il n'y a pas nécessairement d'exclusivité. On peut fréquenter plus d'une personne à la fois. Il y a davantage d'engagement que dans le cas précédent, où il n'y avait que de la sexualité et du secret, mais moins d'engagement que lorsqu'il y a exclusivité.

Sortir avec une personne ou la fréquenter de manière exclusive, c'est-à-dire sans en voir d'autres ni éprouver de sentiment amoureux pour quelqu'un d'autre, représente un autre type d'engagement. La plupart du temps, ce type d'engagement implique l'intégration mutuelle des partenaires à leurs cercles familiaux, amicaux et professionnels. Il peut durer un certain temps et convenir à plusieurs. Par contre, d'autres s'en lassent et veulent davantage. Il peut alors déboucher sur la cohabitation.

Ceux et celles qui ont vécu la cohabitation savent sans doute que sortir avec une personne et vivre avec elle sont deux choses assez différentes. De ce fait, décider d'habiter avec quelqu'un, c'est faire un grand pas vers un engagement plus profond. Ce qui rend la chose si différente, c'est que, lorsqu'on sort avec quelqu'un, on se présente souvent sous son meilleur jour et on se voit pour des sorties. Lorsqu'on va moins bien, on reste chez soi et on se voit à une autre occasion. Lorsqu'on habite avec un partenaire, on le voit souvent sous son véritable jour, avec ses qualités et ses défauts, dans son quotidien, dans son environnement de tous les jours. Dans plusieurs cas, c'est le test ultime que bien des couples échouent faute de savoir préserver une certaine intimité personnelle malgré la cohabitation ; délimiter un cadre pour les visites familiales et amicales ; et, surtout, communiquer ses besoins et être à l'écoute des besoins de l'autre.

COHABITATION ET MARIAGE

Premièrement, lorsqu'on vit avec quelqu'un, il est impératif de savoir se garder un espace personnel, un temps qui nous appartient, avec des moments de détente et de retour sur soi. On n'est pas obligé de tout révéler à l'autre et de tout partager avec lui, comme nous l'avons vu dans le chapitre sur l'intimité.

Deuxièmement, il est nécessaire d'établir des limites claires quant aux visites de tout un chacun. Il n'y a rien de pire pour un couple que les amis ou la famille qui débarquent à tout bout de champ sans s'annoncer, sous prétexte qu'ils sont des amis ou des parents. Une relation, cela se cultive dans le respect et l'écoute mutuelle. Aussi ne faut-il pas hésiter à exiger des amis et des parents qu'ils téléphonent avant de passer vous rendre visite. C'est la politesse élémentaire, et c'est aussi ce qui vous permet de dire non, à l'occasion, pour préserver des moments de qualité à votre couple. Évidemment, il se peut que certains membres de l'entourage qui sont célibataires ou malheureux dans leur couple n'y comprennent rien, mais qu'à cela ne tienne ! Vous avez droit à votre intimité. Si vous faites respecter ce droit, votre couple sera plus solide. Vos rapports avec votre entourage seront plus harmonieux, car, lorsque les gens vous rendront visite, vous serez heureux de les voir et disponible pour échanger avec eux.

Troisièmement, en matière de cohabitation, une des clés du succès réside dans la communication de ses besoins et l'écoute des besoins de l'autre. Pour pouvoir faire part de ses besoins à l'autre, il faut bien sûr en être conscient. Si cela vous semble nécessaire, relisez le chapitre 2. Il ne faut pas avoir peur de parler de ses besoins à l'autre. Avoir des besoins, ce n'est pas la même chose qu'avoir besoin de l'autre – un état qui, lui, nous met en position de vulnérabilité. Il est normal d'avoir des besoins et il est normal que l'autre ne puisse pas les deviner. Si on ne les nomme pas, on se condamne à espérer que l'autre les lise dans nos yeux. Tout le monde n'est pas devin! Nommer ses besoins est important, mais écouter ceux de l'autre l'est tout autant. Pour être harmonieuse, une relation doit tenir compte des besoins des deux partenaires.

Comme je l'ai dit précédemment, bien des couples ne passent pas le cap de la cohabitation. Ils se séparent après quelques mois ou quelques années. Pour ceux qui franchissent avec succès cette étape, il reste l'engagement ultime, le mariage. Pourquoi ultime? Parce que le mariage comporte tous les types d'engagement et représente l'aboutissement de toutes les étapes. L'engagement est d'abord intérieur, dans le cœur de la personne qui veut se marier. Il est ensuite communiqué à l'autre de manière officielle par la demande en mariage, quand l'un des deux partenaires manifeste son désir et sa promesse de vivre avec l'autre jusqu'à ce que la mort les sépare, dans les bons comme dans les moins bons moments. Par ailleurs, le mariage suppose que les deux partenaires se fassent publiquement, devant leurs proches, le serment de rester unis pour la vie. De plus, les partenaires peuvent prendre un engagement religieux selon leurs croyances personnelles. Ils ne vivent donc plus leur engagement uniquement à l'intérieur d'eux-mêmes; ils le prennent de manière officielle non seulement vis-à-vis de l'autre, mais aussi vis-à-vis de tous ceux qu'ils aiment. C'est la principale différence entre la cohabitation et le mariage, qu'il soit religieux ou non.

Dans la cohabitation, l'engagement est souvent implicite: lorsque par exemple on achète une maison à deux, ce n'est pas pour se séparer le mois suivant. Par contre, le matériel n'est pas garant d'un engagement profond dans le temps. Quand ça ne va plus, on vend la maison et chacun repart de son côté. Pour le couple marié qui prend son engagement au sérieux, les disputes ne sont que des nuages gris au-dessus de leur tête. Pour se marier, il faut être sûr de soi mais aussi de ses sentiments, car on les clame haut et fort à qui veut bien nous entendre: C'est un serment d'exclusivité de corps, de tête et d'esprit.

Bien sûr, il y a les gens qui se marient pour le plaisir, pour la réception, pour avoir un projet commun, pour l'argent ou, dans certaines traditions, pour plaire à la famille. Ces mariages sont évidemment beaucoup moins solides dans le temps, car ils sont basés sur des principes autres que l'amour, le respect et le désir de vieillir côte à côte. Pour que le mariage réussisse, il faut donc s'engager de façon profonde et renouveler cet engagement régulièrement. Se rappeler pourquoi on s'est marié et cultiver le désir profond d'être avec l'autre et de vieillir à ses côtés.

Le mariage est un tel engagement que plusieurs refusent carrément de se marier. Ils ont peur. Quelque part au fond d'eux-mêmes, ils savent ce que cela représente et ne se voient pas faire le saut. Pour expliquer leur refus de se marier, plusieurs jeunes gens évoquent le fait que leurs parents ont divorcé et que, par conséquent, le mariage ne mène à rien. Il est vrai que beaucoup de *baby-boomers* sont divorcés. Je dirais par contre ceci: n'oublions pas qu'au Québec, à l'époque où ils étaient de jeunes adultes, ils devaient se marier sous peine d'être pointés du doigt. Lorsqu'ils fréquentaient quelqu'un et s'entendaient bien, les fiançailles suivaient, et ce, bien souvent sans qu'il y ait eu d'abord cohabitation. Si les couples avaient d'abord habité ensemble, plusieurs ne se seraient probablement pas mariés. Si l'on se réfère aux degrés d'engagement dont j'ai parlé précédemment, on constate qu'ils sont passés directement de l'étape des fréquentations exclusives au mariage. L'étape cruciale de la cohabitation n'a pas été franchie, ce qui explique bien, selon moi, pourquoi plusieurs de ces couples n'ont pas survécu. Aujourd'hui, au Québec du moins, le mariage est un choix. Ceux qui font ce choix sont donc, selon moi, plus engagés l'un envers l'autre qu'à l'époque des années 1960-1980. Je suis donc confiante que les mariages des années 2000 seront plus réussis, pour peu que le désir d'engagement soit sincère et non pas basé sur les raisons extérieures que j'ai citées précédemment.

Une dame dans la cinquantaine m'a déjà dit ceci :

> Le mariage est un tel engagement face à l'autre que bien des couples que je connais sont ensemble pendant quelques années, se marient et se séparent peu de temps après. Pour moi, ça signifie que ces couples n'étaient pas véritablement prêts à un tel engagement. Tant qu'ils cohabitaient, il n'y avait pas de problème. Mais le mariage était un trop grand saut pour eux.

À la blague, certains diront que la première cause de divorce est le mariage, ce qui est un bien étrange jeu de mots. Je suis plutôt du même avis que la dame que je viens de citer. Le mariage est un tel engagement que, si l'on n'est pas prêt, il peut précipiter la fin d'un couple qui pourtant fonctionnait dans la cohabitation. Le mariage n'est donc pas fait pour tous. Quand on prend un tel engagement, il faut savoir dans quoi on s'embarque et se demander si on est prêt à faire face à la musique. Cette réflexion, il vaut mieux la faire avant le mariage qu'après. Elle peut nous mener à de beaux échanges de couple. Des échanges avec une réelle intimité… Ah !

Plusieurs me diront que l'engagement ultime, c'est d'avoir un enfant ensemble, ce qui nous liera à l'autre pour toujours. Je leur répondrai ceci : bien des couples qui ont eu des enfants se sont séparés et n'ont plus aucune relation. Ils ne se voient jamais et ne se parlent jamais. L'enfant n'est donc pas un lien qui peut nécessairement durer dans le temps. D'autres diront que l'enfant va les retenir ensemble. Ceux qui sont parents savent qu'un enfant est souvent une source de stress et de tension dans un couple, car, en plus du fait qu'il est en état de dépendance et peut rencontrer des obstacles, il y a fort à parier que les difficultés inhérentes à son éducation mettront en relief les opinions assez différentes des deux partenaires. Loin de les souder ensemble, la venue d'un enfant peut augmenter leurs problèmes. Ils doivent donc former un couple solide avant d'avoir un enfant et ne pas espérer que l'enfant solidifiera leur union. Enfin, je tiens à souligner que, lorsqu'on a un enfant, c'est envers lui que l'on est engagé. La mère s'engage à donner le meilleur d'elle-même pour son enfant, dans l'éducation et les soins. Le père fait de même. Ce n'est donc pas un engagement qui lie les deux parents ensemble, mais qui lie chacun des deux parents à l'enfant.

LES NIVEAUX DE VOS ENGAGEMENTS PASSÉS

Maintenant, ouvrez votre journal de bord et, à la lumière des considérations que vous venez de lire, dans un premier temps, déterminez le degré d'engagement que vous avez pris dans chacune de vos relations passées:

- Partenaire régulier avec relations sexuelles.
- Partenaire que je fréquentais sans être exclusif (dans mes pensées, mes sentiments et mes comportements).
- Partenaire que je fréquentais de manière exclusive.
- Partenaire avec qui je cohabitais (avec ou sans enfant).
- Partenaire avec qui j'étais marié.

Dans un deuxième temps, répondez aux questions suivantes:

- Pour quelles raisons avais-je pris ce type d'engagement?
- Jusqu'à quel point cet engagement était-il satisfaisant pour moi?
- Si c'était à recommencer, est-ce que je prendrais le même type d'engagement? Pourquoi?

Si vous êtes déjà en couple, il peut être intéressant d'évaluer votre degré d'engagement dans votre relation actuelle, en répondant aux questions suivantes:

- Dans mon for intérieur, jusqu'à quel point suis-je amoureux de mon partenaire ?
- M'arrive-t-il de me voir en couple avec une autre personne que mon partenaire ?
- Est-ce que je crois que je serais plus heureux avec quelqu'un d'autre ?
- Jusqu'à quel point puis-je me projeter dans l'avenir avec mon partenaire actuel et nous voir heureux ensemble ?

Je suis entièrement consciente que le fait de vous poser ces questions peut ébranler certaines croyances concernant votre relation. Par contre, dites-vous une chose : si votre engagement dans votre relation actuelle est solide et sincère, vos réponses aux questions précédentes le confirmeront. Si vous avez des doutes, il y a peut-être matière à explorer davantage ce qui vous dérange dans votre relation et vous empêche de vous y engager totalement. Ces remises en question ne sont pas faciles, mais elles sont parfois nécessaires pour atteindre un équilibre personnel.

Qu'est-ce que l'engagement pour vous ?

Maintenant que vous avez évalué vos différents degrés d'engagement, il serait important que vous preniez le temps, à l'aide de votre journal de bord, de définir ce qu'est pour vous un engagement. C'est seulement de cette façon que vous pourrez comprendre les raisons qui vous poussent à vous engager à un degré plus ou moins variable avec vos partenaires. Prenez le temps de faire cet exercice avant de poursuivre votre lecture… Bien que la définition puisse varier d'une personne à l'autre, je précise qu'un engagement complet, total, devrait procéder à la fois du corps, de la tête et du cœur. Autrement dit, on s'engage à se donner physiquement, mentalement et émotionnellement de manière exclusive à notre partenaire, et ce, pour longtemps. Il n'y aura donc pas de rencontres sexuelles avec d'autres personnes (engagement du corps), personne d'autre n'occupera nos pensées amoureuses (engagement de tête) et, finalement, on n'éprouvera de sentiment amoureux pour personne d'autre (engagement du cœur). Dans cet engagement ultime, on promet à l'autre que l'on sera là, pour lui, dans les beaux comme dans les moins beaux moments ; on lui assure une exclusivité amoureuse et sexuelle ; on favorise son bien-être tout autant que le nôtre ; et on est honnête et vrai dans la relation. Bref, s'engager, c'est dire à l'autre que l'on marchera à ses côtés, même dans les chemins plus étroits et sinueux de la vie.

Maintenant que vous avez défini ce qu'est pour vous l'engagement, nous allons regarder ensemble les différentes raisons qui peuvent pousser quelqu'un à s'engager, car, ne l'oublions pas, il est possible de s'engager pour bien d'autres raisons que le sentiment amoureux et le désir de continuité. Cependant, ces deux éléments devraient être au cœur de l'engagement, sinon, la durabilité ou la solidité de l'engagement risquent d'en être affectées. Il faut donc que l'engagement soit, d'abord et avant tout, intérieur, vis-à-vis de soi-même. Posez-vous les questions suivantes et répondez-y dans votre journal de bord :

- Ai-je besoin de m'engager avec quelqu'un ?
- Ai-je besoin de m'engager avec cette personne ?
- Pour quelles raisons en ai-je besoin ?
- Ai-je envie de m'engager avec quelqu'un ?
- Ai-je envie de m'engager avec cette personne ?
- Pour quelles raisons en ai-je envie ?

Portez attention à certains mots dans les questions. Comme on l'a vu, par exemple, le fait « d'avoir besoin » nous met dans un état de dépendance, de vulnérabilité face à l'autre. On ne devrait pas avoir besoin de s'engager, mais en avoir envie. Si on en a besoin, c'est probablement parce qu'on a des manques ou des insécurités, ce qui risque éventuellement de compromettre notre relation. Si en étant honnête avec vous-même vous réalisez que vous avez besoin de vous engager, n'en restez pas là ; demandez-vous à quels besoins l'engagement répond pour vous.

Je pense ici à Denise, qui a besoin de s'engager pour se sentir importante aux yeux de quelqu'un. Elle ne s'aime pas beaucoup et, quand elle est engagée, elle se dit que quelqu'un l'aime, donc qu'elle doit être aimable. Son désir d'engagement cache un manque d'estime d'elle-même. Si elle ne remédie pas à son manque d'estime personnelle, sa relation de couple en sera affectée tôt ou tard. Il est donc important pour Denise de prendre conscience de cette lacune avant même de chercher à s'engager.

Après avoir déterminé si on a besoin ou envie, on doit se demander si c'est avec quelqu'un en général ou avec une personne précise. Étant donné, par exemple, que Denise souffre d'un manque d'estime d'elle-même, il se peut qu'elle soit portée à s'engager avec n'importe quel partenaire, pour peu qu'il la fasse se sentir aimée.

En ce qui vous concerne, demandez-vous honnêtement si vous souhaitez vous engager avec quelqu'un en général ou avec une personne en particulier. Encore une fois, si après mûre réflexion vous répondez « avec quelqu'un », vous pouvez vous demander quelles sont les raisons qui vous poussent à l'engagement, car « quelqu'un », ce peut être n'importe qui. Je vous encourage donc à établir vos critères. Demandez-vous ce qu'une personne devrait avoir pour que vous acceptiez de vous engager vis-à-vis d'elle et déterminez ce que vous recherchez dans une relation de couple. En examinant sérieusement ces questions, vous apprendrez à mieux vous connaître et à définir ce que vous cherchez. Vous serez alors moins tenté de répondre rapidement aux avances de quelqu'un. Vous réfléchirez davantage afin de savoir si cette personne répond réellement à ce que vous recherchez. C'est un bien meilleur gage de réussite que l'élan amoureux ou sexuel pur.

Les partenaires s'engagent souvent de bonne foi, mais, quand on y regarde de plus près, on s'aperçoit que bien des raisons peuvent les avoir poussés à l'engagement. S'ils ne sont pas attentifs, certaines de ces raisons peuvent, dès le départ, ébranler les fondations même de leur engagement. N'oubliez pas que, peu importe le degré de l'engagement, les raisons pour lesquelles on s'engage sont garantes de l'avenir de la relation. Plus ces raisons sont près de soi, de notre essence, plus notre engagement sera profond et sincère et plus l'avenir nous sourira. Plus des peurs conscientes ou inconscientes limitent la profondeur de l'engagement, moins on s'épanouit et moins on progresse dans la recherche de l'équilibre personnel et du bonheur.

Encore une fois, si vous avez de la difficulté à approfondir votre engagement, interrogez-vous et méditez. Prenez le temps d'y réfléchir. Une forte affirmation du style : « Ça changerait quoi qu'on habite ensemble ? » ou encore : « Moi, je n'ai pas besoin de me marier » peut cacher une peur due au divorce traumatisant des parents ou la crainte de se donner à l'autre totalement, d'être abandonné et de souffrir... J'ai souvent vu des patients qui, derrière leur apparence forte et confiante, avaient des blessures passées qui n'étaient pas guéries. Ce n'est sans doute pas le cas de toutes les personnes qui refusent de cohabiter ou de se marier, mais l'expérience m'a démontré que c'était une situation très fréquente. Alors réfléchissez-y sérieusement et, si vous pensez être coincé dans ce genre de situation, faites-y face : se mettre la tête dans le sable n'a jamais fait avancer personne. Au pire, vous ne changerez pas votre degré d'engagement, mais, au moins, vous réglerez une situation du passé qui continuait de vous hanter. Au mieux, en travaillant sur un traumatisme passé ou des peurs refoulées, vous serez plus fort, vous irez de l'avant et vous trouverez la personne avec qui vous avez envie de vous engager. Comme mon père me disait souvent : « Il n'y a que les fous qui ne changent pas d'idée. » Donnez-vous donc la possibilité, la souplesse de revoir certaines prises de position rigides.

Dans un autre ordre d'idées, si l'on s'engage pour des raisons extérieures à soi-même, bien entendu, l'engagement sera ébranlable et amènera plusieurs difficultés. Parmi toutes les raisons extérieures pour lesquelles on peut décider de s'engager, je citerai le désir de se plier à la tradition, le besoin de plaire à la famille, l'adhésion à des croyances ou à une religion quelconques et la peur de perdre l'autre. Il en existe bien d'autres encore.

Certaines personnes sont plutôt conservatrices et tiennent à perpétuer des traditions du passé. Elles ne sont pas nécessairement en accord au plus profond d'elles-mêmes avec ces traditions, mais elles sont nostalgiques et vivent dans le passé. Elles commencent souvent leurs phrases par : « Dans le temps… » ou : « Moi, je me souviens… » Elles croient s'engager parce qu'elles le veulent profondément, mais c'est plutôt par désir de perpétuer la tradition. Par conséquent, elles risquent de se marier avec une personne qui n'est pas nécessairement le partenaire de vie qu'elles recherchaient, mais qui est prête, elle aussi, à perpétuer la tradition. Bien évidemment, on peut être en accord ou en désaccord avec les traditions du passé, là n'est pas la question. Ici, l'idée, c'est davantage de se marier par conviction profonde personnelle que pour perpétuer la tradition.

La deuxième raison, qui est un peu liée à la première, est le besoin de plaire à la famille. Dans certaines familles, le mariage est important. Les enfants sont élevés dans cette mentalité et, une fois devenus adultes, certains n'osent pas remettre cet enseignement en question et se demander si eux-mêmes y croient profondément. Alors ils se marient, pour le plus grand bonheur de leur famille. Ces personnes ne sont peut-être pas conscientes de l'influence qu'a eue la famille sur leur décision. Encore une fois, on peut avoir reçu dans notre éducation des messages qui prônaient le mariage et, après avoir fait notre propre réflexion, décider que c'est ce qu'on veut, par conviction profonde. L'engagement est alors profond et sincère. Mais si on n'a pas remis en question cet enseignement en se demandant si on y croit véritablement, les risques d'avoir un réveil tardif et de faire une douloureuse remise en question sont bien réels.

Par ailleurs, certaines personnes se marient parce que, selon les croyances qu'on leur a enseignées, elles sont convaincues qu'elles n'ont pas le choix de se marier pour vivre avec une autre personne, sous peine d'en subir des conséquences. Qu'arrive-t-il le jour où elles remettent en question les croyances qu'on leur a inculquées ? Le mariage peut alors être remis en question, ce jour-là. L'engagement pris dans le mariage doit donc venir du cœur bien avant toutes ces raisons extérieures.

Certaines raisons d'ordre plutôt social et familial peuvent pousser des gens à se marier, mais parfois la pression peut aussi venir de l'intérieur même du couple. L'un des partenaires veut se marier et croit au mariage, tandis que ce n'est pas le cas de l'autre. Le partenaire qui refuse le mariage peut finalement faire le grand saut par peur de perdre l'autre, basant ainsi son engagement sur une peur et une insécurité, plutôt que sur un désir réel de promesse de vie à deux. Bien évidemment, la peur n'est pas le meilleur sentiment pour tenir un couple ensemble. À moins que le partenaire réticent fasse un bon bout de chemin dans son niveau d'engagement, ce mariage risque fort d'être vacillant. Certains me demanderont alors ce qu'il faut faire s'ils ne veulent pas se marier et que l'autre y tient ou vice-versa. À cela je répéterai l'importance de déterminer nos propres valeurs et buts avant même de s'engager avec quelqu'un. Ainsi, on sera à même de choisir quelqu'un qui nous convient et avec qui on partagera des projets de vie semblables. Il vaut mieux choisir avant de se retrouver dans une relation où l'on doit sacrifier des choses aussi fondamentales. En ce qui a trait au désir ou au refus de se marier et au désir ou au refus d'avoir des enfants, les compromis, ça ne se fait pas. Il en restera toujours quelque chose de négatif pouvant aller jusqu'au ressentiment pour certains. Ne prenez pas ce risque. La vie à deux est beaucoup trop belle…

Revenons à la question que je posais au début de ce chapitre : l'engagement est-il nécessaire à une vie de couple épanouie ? Si vous avez suivi mon argumentation jusqu'ici, vous aurez compris que oui, dans la mesure où il y a différents degrés d'engagement et que, par conséquent, être en couple signifie nécessairement être engagé, sans que cela sous-tende un engagement complet et total de corps, de tête et d'esprit, comme nous l'avons vu précédemment. À toutes ces réflexions, j'ajouterai qu'il est primordial de rencontrer quelqu'un qui recherche le même type d'engagement que soi, car c'est un gage de réussite. Bien sûr, plus les partenaires gravissent les échelons de l'engagement, plus leur relation est solide, dans la mesure où, bien entendu, ils ont non seulement pris leur engagement d'abord à l'intérieur d'eux-mêmes, en profondeur et en harmonie avec leurs valeurs et leurs convictions, mais qu'en plus ils savent dans quoi ils s'embarquent et sont prêts à faire face à la musique en temps voulu.

ENGAGEMENT ET SEXUALITÉ

L'engagement a-t-il une influence sur la sexualité ? Oui, bien sûr. Dans le chapitre traitant de l'intimité, nous avons vu que l'intimité sexuelle requiert beaucoup de dévoilement de soi et que, par conséquent, elle n'était possible complètement que si l'intimité était également présente sur d'autres plans dans le couple. Pour être en mesure de se dévoiler autant à quelqu'un, la plupart d'entre nous ont besoin d'un certain degré d'engagement. Rappelons-nous que plus nous nous dévoilons, plus nous nous mettons dans une position de vulnérabilité qui peut être très inconfortable si nous ne sommes pas sûrs des sentiments de l'autre à notre égard.

On pense souvent que les femmes sont les seules à avoir besoin d'un engagement pour vivre une intimité sexuelle. C'est faux. Les hommes en ont tout autant besoin. Ils ont souvent moins besoin d'engagement pour avoir des rencontres sexuelles, mais pour vivre de l'intimité sexuelle, ils en ont tout autant besoin. C'est dans l'intimité sexuelle qu'on se dévoile et qu'on se laisse aller. J'ai vu bien des hommes qui étaient aux prises avec des difficultés érectiles ou orgasmiques parce qu'ils n'arrivaient pas à se laisser aller, à se dévoiler dans leurs zones d'ombre comme dans leurs zones de lumière, dans leurs désirs comme dans leurs insécurités sexuelles. J'ai aussi rencontré des femmes qui souffraient d'un manque de désir et avaient de la difficulté à s'exciter et à atteindre l'orgasme, car, pour elles, la condition gagnante à l'intimité sexuelle était absente : le degré d'engagement de leur partenaire ne les satisfaisait pas. Elles pouvaient l'exprimer de bien des façons, mais leurs considérations les ramenaient toujours à cette réalité. Plus les deux partenaires sont engagés l'un envers l'autre, plus grande peut être leur intimité sexuelle.

Par ailleurs, il y a des gens qui collectionnent les partenaires sexuels parce qu'ils ne sont pas capables de s'engager vis-à-vis d'une seule personne. Ne pouvant pas être en couple, ils sont contraints de ne vivre que des rencontres sexuelles à répétition avec des partenaires variés. Tôt ou tard, cependant, ils constatent qu'il leur manque quelque chose et travaillent alors sur leurs capacités d'intimité et d'engagement.

En résumé, deux personnes formant un couple sont nécessairement engagées, bien qu'elles puissent l'être à des niveaux différents. Il va de soi que le niveau d'engagement teinte la relation de couple : plus l'engagement est profond et sincère, situé à un niveau avancé et pris en toute connaissance des implications, plus la relation est solide et permet l'épanouissement de chacun.

Comme nous l'avons vu, des facteurs inconscients peuvent toutefois venir freiner l'engagement ainsi que l'épanouissement personnel et relationnel. Voilà pourquoi j'examinerai dans le prochain chapitre certains éléments qui vous permettront de vous familiariser davantage avec le domaine de l'inconscient.

Chapitre 8

Ce que l'inconscient peut révéler

Le mot «inconscient» est souvent utilisé à toutes les sauces dans des affirmations aussi répandues que celles-ci: «Ça doit être inconscient», «Inconsciemment, je dois choisir des partenaires qui ne me conviennent pas», «Consciemment, je ne saurais l'expliquer, mais peut-être qu'inconsciemment il y a du vrai là-dedans», etc. Qu'en est-il au juste? L'inconscient est-il si loin de notre conscient? Est-ce que je peux agir de manière irrationnelle et justifier mes gestes par mon inconscient? Est-ce que l'inconscient affecte mes relations et ma sexualité? De quelles façons? C'est à ces questions et à bien d'autres que je tenterai de répondre dans ce chapitre.

On s'entend généralement pour dire qu'il y a trois instances intérieures chez l'être humain: le conscient, le préconscient et l'inconscient. Ainsi, le conscient serait tout ce qui existe dans la conscience à un moment précis. Par exemple, Yannick a conscience qu'il est anxieux lorsqu'il fait l'amour et que son anxiété est en partie responsable de son problème d'érection. Quant au préconscient, il serait constitué de tout ce qu'on peut faire émerger à la conscience pour peu que l'on y porte attention. Par exemple, quand Yannick réfléchit à son problème d'érection, il se dit qu'il est peut-être dû à la colère qu'il ressent envers sa conjointe quand elle lui reproche d'être incapable de l'amener à l'orgasme. Pour sa part, l'inconscient serait rempli de tout ce qui n'est pas conscient; il serait essentiellement constitué d'éléments négatifs dont on ne souhaite pas prendre conscience parce qu'ils sont trop dérangeants. Par exemple, la cause profonde du problème d'érection de Yannick pourrait vraisemblablement être le fait qu'il ne se sent pas assez masculin dans sa relation avec sa conjointe. Comme on peut facilement l'imaginer, un tel constat implique beaucoup de choses, ce qui en soi pourrait justifier qu'il se retrouve relégué dans l'inconscient.

DE QUOI L'INCONSCIENT EST-IL FAIT ?

Dans la vie de tous les jours, nous adoptons une façon de penser et d'agir qui, croyons-nous, est reliée en grande partie à notre conscient. Bien sûr, le conscient régit nombre de nos pensées et de nos actes, mais, de son côté, l'inconscient en régit beaucoup lui aussi. Mais que contient-il au juste, ce fameux inconscient ? On pourrait dire qu'il contient essentiellement cinq types d'éléments : les interdits qu'on nous a imposés ; les interdits que l'on s'est imposés à soi-même, mais qui, à l'origine, nous ont souvent été imposés par une instance extérieure – le milieu familial ou la société, par exemple ; un désir ou une passion que l'on ressent, mais qu'on ne s'autorise pas à ressentir ; des émotions et des sentiments passés que l'on n'a pas pu exprimer en raison du contexte ; le souvenir d'événements qui nous ont marqués ou troublés au point où l'on en a parfois oublié une partie.

Pour mieux comprendre le premier type d'éléments habituellement enfouis dans l'inconscient, c'est-à-dire les interdits qu'on nous a imposés, voyons le cas d'Étienne. Quand il était enfant, Étienne a été sévèrement puni pour avoir baissé son pantalon devant une petite fille du même âge que lui, lors de jeux sexuels exploratoires consentants. Adulte, il ressent un malaise lié à la nudité et éprouve de la culpabilité en rapport avec le désir sexuel, mais il est incapable d'expliquer pourquoi. Il se souvient de l'événement, mais n'a pas conscience des traces qu'il a laissées en lui. En consultation, Étienne est donc très honnête avec moi lorsqu'il soutient qu'il n'y a pas de lien entre cet événement et la culpabilité qui l'envahit lorsqu'il ressent du désir sexuel.

Il arrive fréquemment que des clients viennent me consulter en thérapie et qu'ils ne connaissent pas l'origine de leurs problèmes.

Cela me met alors la puce à l'oreille, à savoir que des facteurs inconscients sont probablement responsables de leurs difficultés. En les faisant parler de leur passé et des émotions qui y ont été rattachées, je peux formuler certaines hypothèses que j'aurai ensuite l'occasion de valider avec eux le temps venu. Il est fréquent qu'une difficulté à comprendre ou à expliquer un comportement soit causée par le caractère inconscient de ce comportement et de ses causes.

Pour saisir le deuxième type d'éléments qui logent dans l'inconscient – les interdits que l'on s'est imposés à soi-même, mais qui, à l'origine, nous ont souvent été imposés par une instance extérieure –, nous examinerons le cas de Martin. Chez lui, comme chez bien d'autres personnes, l'intériorisation de certains interdits a fait naître la croyance que son milieu va le juger sévèrement s'il adopte certains comportements. Martin a grandi auprès d'un père qui parlait souvent contre les homosexuels et incitait ses enfants à rire des hommes qui fréquentaient le village gai à Montréal. Par conséquent, il a refoulé[4] toute attirance sexuelle ou amoureuse pour un autre homme. Il a fréquenté des femmes, s'est marié, a eu des enfants et s'est surpris un jour à regarder un autre homme. Dégoûté de lui-même, se demandant ce qui lui prenait, il est venu me consulter pour que « je le débarrasse de ces images qui le hantaient ». Il ne voulait pas remettre son mariage en question, mais, à un moment donné, il a quand même dû le faire. En effet, tôt ou tard, l'inconscient doit s'exprimer de manière plus ou moins symbolique. Ainsi, ce qui est refoulé ressurgit parfois de façon très limpide ; d'autres fois, cependant, le refoulé prend la forme d'images et se situe dans un contexte bien différent du contexte original, ce qui le rend beaucoup plus difficile à interpréter.

---

4. Le refoulement est un mécanisme par lequel on tait une émotion, un sentiment ou une pensée et on les garde à l'intérieur de soi. À la longue, il peut être très difficile d'avoir accès aux éléments refoulés, car on ne souhaite pas se les rappeler : si on les a tus à l'époque, c'est parce qu'on avait de bonnes raisons de le faire.

La situation serait tout à fait différente pour un homme qui viendrait me consulter parce qu'il a de la difficulté à assumer son attirance sexuelle pour d'autres hommes et qui m'expliquerait que les commentaires homophobes[5] de son père pendant son enfance l'ont beaucoup marqué. Dans ce cas, l'homme serait très conscient de sa problématique et il serait plus facile pour lui éventuellement d'assumer son orientation sexuelle que dans le cas de Martin, qui a été amené par son père à refouler ses véritables désirs.

Pour illustrer le troisième type d'éléments susceptibles d'être refoulés dans l'inconscient, soit un désir ou une passion que l'on ressent, mais qu'on ne s'autorise pas à ressentir, voyons le cas de Jade. Elle est venue me consulter parce qu'elle fait souvent des rêves dans lesquels elle a des relations sexuelles avec le mari de sa meilleure amie. Inconsciemment, elle a du désir sexuel pour cet homme. Cependant, comme elle ne souhaite pas perdre sa meilleure amie, elle réprime ce désir, qui se retrouve dans son inconscient et se manifeste sous forme de rêves. Son désir aurait également pu se retrouver dans ses fantasmes si le refoulement avait été moins grand.

Voyons maintenant avec le cas de Noah le quatrième type d'éléments contenus dans l'inconscient : les émotions et les sentiments passés que l'on n'a pas pu exprimer en raison du contexte, par exemple. Imaginons Noah alors qu'il n'était qu'un petit garçon et que sa mère se montrait extrêmement dure avec lui. Il ressentait beaucoup de colère envers elle, mais il ne pouvait absolument pas l'exprimer puisqu'elle était en position d'autorité et de force par rapport à lui. Il a donc refoulé sa colère. Aujourd'hui, lorsqu'il parle de sa mère en s'adressant à sa conjointe, il prend souvent un ton irrité. Si sa conjointe le lui fait remarquer, il reconnaît difficilement que c'est vrai puisqu'il n'est pas conscient de la colère qu'il éprouve envers sa mère. Par ailleurs, il se montre

---

5. L'homophobie est la haine ou la discrimination envers les personnes d'orientation homosexuelle.

parfois dur avec sa conjointe et la fait pleurer, mais il est incapable de comprendre pourquoi. De manière inconsciente, peut-être exprime-t-il à sa femme la colère qu'il a envers sa mère.

Finalement, on retrouve dans l'inconscient un cinquième type d'éléments : le souvenir d'événements qui nous ont marqués ou troublés au point où l'on en a parfois oublié une partie. On observe souvent ce phénomène chez une personne qui a été victime d'agression sexuelle pendant l'enfance ou à l'âge adulte. Dans ma pratique, j'ai été amenée à travailler avec plusieurs patients dans ce cas. Il arrive fréquemment que ces personnes aient oublié l'identité de leur agresseur et les gestes qu'il a faits, voire l'agression elle-même. Elles font généralement des rêves dans lesquels elles voient quelqu'un s'approcher de leur lit et ont une vive conscience de n'être que des enfants. Elles sentent que l'intrus vient leur faire du mal et voient une main se glisser sous les couvertures, puis elles se réveillent. C'est souvent très difficile pour ces anciennes victimes, car elles ont peur d'inventer tout ça. Désireuses de savoir si ce qu'elles voient est vrai, elles veulent voir leur agresseur, l'identifier et savoir exactement ce qui s'est passé. Je leur fais alors remarquer que, l'être humain étant très bien fait, si quelque chose est trop pénible à supporter, il l'effacera temporairement de sa mémoire jusqu'à ce qu'il soit en mesure d'accepter ce qui lui est arrivé. Il arrive fréquemment qu'une personne commence une thérapie en sachant qu'elle a été abusée sexuellement, puis, à mesure que sa thérapie progresse, qu'elle voie de nouvelles informations apparaître dans ses rêves ou même sous forme de flashs dans sa vie de tous les jours. C'est ce qui a amené certaines d'entre elles à parler de « faux souvenirs », comme si leurs rêves ou leurs flashs étaient inventés. Je tiens tout de suite à préciser que l'invention d'une histoire d'abus est assez rare. Le « faux souvenir » s'explique plutôt par le fait que, après avoir été refoulée dans l'inconscient, la mémoire de l'événement remonte jusqu'au conscient le jour où la personne se trouve apte à y faire face.

L'ANXIÉTÉ ET LES CONFLITS INCONSCIENTS

L'inconscient peut se manifester sous bien des formes, mais j'ai dû ici me limiter à n'en citer que quelques-unes. Il importe cependant de comprendre que derrière nos troubles sexuels et affectifs se cachent bien souvent des angoisses et des conflits inconscients. C'est ce qui rend les choses si complexes. Si tel n'était pas le cas, si les choses ne se passaient qu'au niveau conscient, il serait facile pour Juliette, par exemple, d'éprouver davantage de désir sexuel pour son partenaire. Elle n'aurait qu'à s'attaquer aux problèmes de surface, comme le fait qu'elle est fatiguée lorsqu'elle revient du travail. Il lui suffirait de réaménager son horaire de travail et de faire un peu d'exercice pour se changer en femme sexuée, prête à vivre d'intenses moments de sexe. La réalité est tout autre.

De prime abord, on pourrait croire que Juliette est épuisée et qu'elle n'a pas envie de faire des efforts pour enrichir sa vie sexuelle, mais, voilà, la sexualité ne devrait pas demander d'efforts, les choses devraient être simples… Derrière la fatigue se cachent des causes inconscientes bien plus importantes qu'il faut trouver pour être en mesure d'y remédier. Pour prescrire le bon remède, un médecin a besoin de poser le bon diagnostic. Il en va de même pour un thérapeute… C'est ici que prend tout son sens l'adage qui nous conseille de nous méfier des apparences. Notre inconscient a bien des choses à nous révéler, il suffit d'être à son écoute. Comment ? Il faut d'abord apprendre à se regarder agir et développer cette seconde vue sur nos attitudes et nos comportements.

VOS AMOURS ET VOTRE SEXUALITÉ

Je vous invite à commencer dès maintenant en effectuant un petit retour sur vos amours et votre sexualité. Prenez votre journal de bord et répondez aux questions suivantes :

1. Comment se sont habituellement déroulées vos relations de couple ?

2. Comment se sont habituellement déroulées vos ruptures amoureuses ?

3. Comment décririez-vous généralement vos partenaires amoureux ?

4. De quelle façon vos partenaires agissaient-ils généralement avec vous sur le plan sexuel ?

5. De quelle façon agissiez-vous généralement avec vos partenaires sur le plan sexuel ?

Vous aurez sans doute remarqué que j'ai souvent utilisé les mots « habituellement » et « généralement », car le but est de trouver des constantes. L'inconscient ne nous envoie pas un seul message mais plusieurs : à nous de savoir les lire !

Maintenant que vous avez établi des similitudes, demandez-vous pourquoi il en était ainsi. Bien entendu, comme je l'ai précisé dans d'autres chapitres, vous devez chercher dans votre jardin et laisser faire les autres. Par exemple, évitez de répondre : « Ce sont toujours mes partenaires qui ont rompu les relations parce qu'ils étaient tous des imbéciles. » C'est probablement faux et ça ne vous mènera nulle part. Cherchez plutôt ce qui vous a amené à être attiré par ces « imbéciles ». À ce moment-là, vous travaillerez sur vous-même.

Revenons à notre fameux « pourquoi ? ». En vous posant cette question, vous serez probablement tenté de répondre certaines choses par rapport à vous-même : notez-les. Vous aurez eu accès à votre conscient et, au mieux, à une infime partie de votre préconscient. Une fois que ce sera fait, posez-vous de nouveau cette question du « pourquoi ? » en cherchant à aller à un niveau plus profond. Dites-vous que vos premières réponses étaient des éléments de premier niveau et que ce que vous cherchez maintenant, ce sont des éléments plus profonds, de deuxième niveau, par rapport à vous-même et à votre passé. Notez vos réponses. Vous aurez probablement eu accès à votre préconscient et, si vous êtes entraîné, à quelques éléments près de l'inconscient. Vous pouvez maintenant mieux comprendre ce qui vous pousse à agir d'une certaine façon ou à vous retrouver dans certaines relations. Intéressant, non ?

ACCÉDER À L'INCONSCIENT

Au risque de vous décevoir, je dois toutefois préciser que les véritables réponses ne sont pas encore ressorties : elles se retrouvent dans l'inconscient. Par contre, avec le travail que vous venez de faire, vous êtes en train d'essayer d'acquérir cette double vue que j'ai évoquée précédemment, une double conscience de vous-même et de vos actions. Dans les semaines et les mois qui viendront, essayez de regarder les situations de votre vie sous cet angle. Demandez-vous : « Pourquoi ai-je réagi ainsi ? Pourquoi suis-je blessé dans cette situation ? Pourquoi me suis-je mis en colère ? » Laissez faire les autres, ne leur jetez pas le blâme. Travaillez sur vous-même. Quand vous aurez des éléments de réponse, n'oubliez pas que ce sont des éléments de surface, de premier niveau. Tâchez d'aller au deuxième niveau, à un niveau plus profond, et posez-vous les mêmes questions. Notez vos réponses et méditez-les. Elles vous en apprendront beaucoup sur vous-même.

Pour avoir accès à l'inconscient, il faut donc passer par d'autres voies. Ce qui m'intéresse, dans le cadre de ce livre, c'est de vous aider à accéder à votre inconscient sur les plans amoureux et sexuels. Pour y avoir accès, il vous faut passer soit par les fantasmes, soit par les rêves. Bien entendu, ici, je n'ai aucunement la prétention de vous faire vivre une thérapie de votre inconscient amoureux et sexuel. Par contre, je souhaite vous donner des éléments pour entamer une réflexion sur votre inconscient. Si vous êtes intéressé, vous pourrez aller consulter un sexoanalyste[6].

---

6.   Thérapeute qui a une formation reconnue en sexoanalyse. La sexoanalyse est une approche de thérapie sexuelle qui traite les causes profondes des difficultés sexuelles à travers l'analyse de l'inconscient sexuel.

Ainsi, à partir de maintenant, vous consignerez vos rêves dans un carnet. Au réveil, vous noterez vos rêves, ce qu'il vous en reste. Certains me diront : « Oui, mais moi, je ne rêve pas. » Tout le monde rêve. Il serait plus juste de dire : « Je ne me souviens pas de mes rêves. » Au début, ce peut être ardu. Prenez conscience que vous tentez d'avoir accès à une partie de vous-même avec laquelle vous n'aviez aucune relation ou presque. Ça demande du temps et de la patience. Sachez par contre qu'il deviendra de plus en plus facile de vous rappeler vos rêves. Tous les rêves ne sont pas aussi significatifs les uns que les autres. Avec le temps, vous saurez faire la différence.

L'INTERPRÉTATION DES RÊVES

C'est bien beau de noter mes rêves, me direz-vous, mais comment puis-je les interpréter ? N'allez pas acheter un dictionnaire de rêves qui dit que rêver à une chose veut dire telle chose, surtout quand vous devez passer des jours à chercher le lien entre les deux. S'il vous plaît ! Ça n'a rien à voir. Les véritables réponses sur l'analyse de vos rêves se trouvent en vous-même et, je le répète, vous pouvez y travailler sérieusement avec un sexoanalyste.

Prenons l'exemple d'Anouk, 35 ans, qui a rêvé que sa mère faisait irruption dans sa chambre alors qu'elle était en train de faire l'amour. Elle est intriguée et quelque peu bouleversée par ce rêve. Elle a le sentiment qu'il pourrait avoir quelque chose à voir avec le fait qu'elle n'arrive pas à atteindre l'orgasme. Pour qu'elle puisse analyser son rêve, il serait important, tout d'abord, qu'elle ait le plus de précisions possible, car cela pourrait en changer l'interprétation. Voici des exemples de questions qu'Anouk devrait se poser :

- Quel âge avait-elle dans son rêve ? Est-ce maintenant ou était-elle plus jeune ?
- Dans quelle chambre faisait-elle l'amour ? La chambre qu'elle a maintenant, sa chambre d'adolescente, celle de ses parents ou une autre chambre ?

- Avec qui faisait-elle l'amour ? Un homme ou une femme ? Connaît-elle cette personne dans la vie ? La connaissait-elle dans son rêve ? Par exemple, elle pourrait dire qu'elle faisait l'amour avec son *chum*, mais qu'elle ne le connaît pas dans la vie. Comment décrirait-elle cette personne ? Son âge ? Son physique ? Sa personnalité ? Avait-elle des signes particuliers ?
- Dans quelle position faisaient-ils l'amour ?
- Avait-elle du plaisir sexuel ?
- De quelle façon sa mère est-elle entrée ? A-t-elle cogné d'abord ? Anouk l'a-t-elle autorisée à entrer ou a-t-elle été surprise ?
- Comment Anouk a-t-elle réagi en voyant sa mère ?
- Comment sa mère a-t-elle réagi ? Qu'a-t-elle dit ? Si elle n'a rien dit, on peut se poser la question suivante : « Si elle avait dit quelque chose, qu'aurait-elle dit ? » Quelle émotion transparaissait sur son visage ?
- Que s'est-il passé par la suite ? Anouk a-t-elle atteint l'orgasme ?
- Si la mère n'était pas entrée, que se serait-il passé ? Anouk aurait-elle atteint l'orgasme ?

Il est aussi intéressant de noter que c'est la mère qui est entrée. On peut se demander ceci :

- Pourquoi la mère d'Anouk est-elle entrée ? Quelle est la signification de sa présence ?
- Que serait-il arrivé si le père était entré plutôt que la mère ? Est-ce qu'il aurait réagi différemment ou de la même façon ? Comment Anouk aurait-elle réagi ? Etc.

Après avoir trouvé ces éléments de réponse, Anouk pourra tenter de donner du sens à son rêve en faisant des liens avec ses difficultés sexuelles. Elle pourra interpréter le rêve en fonction de ses réponses. Par exemple, elle ne le verra pas de la même façon selon qu'elle dit que sa mère a cogné et qu'elle l'a volontairement fait entrer ou que sa mère est entrée d'elle-même. Chaque élément de réponse aura une signification.

Une chose semble claire: ses difficultés à atteindre l'orgasme sont reliées à la mère. Seule une analyse poussée du rêve et des différents éléments permettrait de dire de quelle façon. On pourrait émettre l'hypothèse qu'elle a besoin de l'approbation de sa mère pour avoir du plaisir ou encore que sa mère la culpabilise dans son plaisir. Ce qui pourrait également aider Anouk dans son travail, c'est de faire un retour sur son passé pour tenter de comprendre le sens de son rêve. Sa mère était-elle permissive sexuellement ou, au contraire, très stricte? Anouk a-t-elle déjà été surprise par sa mère? Comment cela s'était-il passé? Etc.

RÊVES RÉCURRENTS ET FANTASMES

En faisant la démonstration précédente, j'ai voulu vous faire voir comment on peut travailler avec un rêve afin de décoder notre inconscient: faire remonter au conscient des éléments qui influencent grandement nos relations et notre sexualité. J'ai aussi mentionné que l'importance d'un rêve peut varier. Une chose est sûre: un rêve récurrent, c'est-à-dire un rêve qui se répète, est habituellement porteur de messages. Un rêve primaire, c'est-à-dire un rêve que l'on faisait étant très jeune, est aussi habituellement significatif. Enfin, un rêve qui nous fait ressentir des émotions troublantes est aussi un rêve auquel il vaut la peine de s'arrêter. Encore une fois, ne vous fiez pas aux apparences! Un rêve peut sembler banal à première vue, mais être très significatif.

Sarah fait un rêve récurrent dans lequel elle se retrouve dans un ascenseur qui se met à bouger dans tous les sens, la projetant contre les parois, la tête en bas, etc. Bien entendu, elle a peur. Dans la vie réelle, cependant, les ascenseurs ne lui font pas peur du tout. L'ascenseur qui bouge et la projette dans tous les sens peut démontrer qu'elle manque de contrôle dans sa vie et que cette situation lui fait peur. Dans son rêve, Sarah n'a aucun contrôle et ça la fait paniquer. Ce problème est tellement ancré chez elle qu'il ressurgit sous la forme d'un rêve récurrent. Son besoin de tout contrôler l'amène à n'avoir que de rares relations sexuelles et, lorsqu'elle en a, c'est bien souvent sans réel plaisir, car elle ne sait pas s'abandonner.

Comment peut-on s'abandonner au lit quand on est aussi rigide dans la vie ? La sexualité fait partie de nous, de notre vie ; par conséquent, on ne peut pas endosser un rôle et devenir quelqu'un d'autre une fois les portes closes. C'est la raison pour laquelle les problèmes sexuels sont parfois si souffrants : ils nous mettent face à nous-mêmes. La sexualité est notre miroir, en fait... Méditez là-dessus !

Les fantasmes sont aussi une bonne voie à explorer pour se connaître soi-même et connaître son inconscient. Pour ce faire, vous devez trouver ce qui vous excite le plus sexuellement dans votre imaginaire. Comprenez bien que l'imaginaire peut être très différent de la réalité. Je peux fantasmer sur quelque chose, mais ne jamais vouloir vivre cela dans la réalité. C'est tout à fait possible. Alors, une fois que vous avez trouvé la chose qui vous excite le plus, vous devez l'aborder un peu comme les rêves, c'est-à-dire en vous posant des questions pour préciser votre fantasme le plus possible.

Prenons un exemple. Catherine fantasme souvent qu'elle fait l'amour avec une autre femme. À première vue, plusieurs diraient qu'elle est lesbienne. C'est un peu trop facile comme interprétation. Catherine n'a jamais eu de relations sexuelles avec des femmes dans la vie. Elle a eu plusieurs relations parfois agréables avec des hommes, mais le plus souvent, elle ressentait de la douleur lors de la pénétration parce qu'elle avait l'impression que le passage était trop serré. C'est la raison de sa consultation. Quand on regarde son fantasme de plus près, on pourrait poser les questions suivantes :

- Est-ce toujours la même femme ou des femmes différentes ?

- Voit-elle leur visage ? Si elle ne le voit pas, c'est probablement parce que leur identité n'est pas importante pour elle, ou encore parce qu'il s'agit de femmes connues dont elle ne veut pas voir le visage. Connaît-elle ces femmes ?
- Quelles sont les activités sexuelles qui ont lieu ? Est-ce toujours les mêmes ?
- S'agit-il davantage de tendresse ou de génitalité ?
- Que ressent-elle pendant ce fantasme ?
- Quelles sont les similitudes ? Autrement dit, les fois où elle a ce fantasme, quels sont les éléments qui se répètent ?
- Atteint-elle l'orgasme ? Si oui, que se passe-t-il juste avant qu'elle l'atteigne ? Etc.

Pour sa part, Catherine se voyait pénétrer des femmes qui venaient s'asseoir sur elle. On voit bien que dans son inconscient elle s'associe à l'homme et a de la difficulté à recevoir la pénétration. En travaillant par elle-même sur son fantasme, elle pourrait être amenée à conscientiser sa difficulté à être femme, comme le démontre son identification sexuelle à l'homme. Cela l'aidera à comprendre les sources inconscientes de ses difficultés sexuelles avec les hommes. En sexoanalyse, elle pourrait explorer les raisons de son identification à l'homme et travailler à s'identifier davantage à la femme et à ses composantes, pour ensuite être en mesure d'érotiser la pénétration. Tout comme les rêves, les fantasmes d'adolescence sont souvent intéressants à analyser, de même que les fantasmes récurrents qui sont sources d'une grande excitation. Enfin, les fantasmes qui suscitent beaucoup d'anxiété valent aussi la peine d'être regardés de près.

En résumé, l'inconscient est quelque chose de très personnel qui recèle beaucoup d'informations sur soi-même. Dans un premier temps, à travers la double conscience de vous-même et de vos comportements, vous aurez accès au préconscient qui, à lui seul, peut vous permettre de faire un grand bout de chemin. Dans un deuxième temps, l'analyse de vos rêves et de vos fantasmes peut certes vous en apprendre beaucoup et vous permettre de défaire certains blocages. Encore une fois, n'hésitez pas à avoir recours à un sexoanalyste si cette démarche vous intéresse sérieusement.

Voyons maintenant ce qui, consciemment et inconsciemment, peut nous amener à être sur la défensive, en réaction de fermeture vis-à-vis de certaines personnes ou dans certaines situations, et comment cela peut entacher nos relations.

Chapitre 9

Sur la défensive, moi ? Jamais !

Il arrive fréquemment au cours d'une discussion que le ton monte et que l'on ne sache pas très bien pourquoi. Cela vous est certainement déjà arrivé, surtout avec votre conjointe ou votre conjoint. Certains sujets de conversation semblent tout à fait anodins, mais, de manière souvent imprévisible, l'échange tourne inexplicablement au conflit majeur. Dans bien des cas, on peut en déduire que l'une des deux personnes impliquées était fort probablement sur la défensive.

Dans ce chapitre, je vais tenter de définir l'attitude défensive ; examiner les situations où elle risque de se manifester ; expliquer les raisons qu'on a d'y recourir ; réfléchir à l'impact qu'elle peut avoir ; et, enfin, suggérer des manières de l'éviter.

Être sur la défensive signifie souvent que l'on est en réaction émotionnelle relativement à un sujet qui ne devrait ordinairement pas générer autant d'émotions. Les anglophones parlent d'*overreaction* ou, si on préfère, de réaction démesurée ou excessive. La réaction est ce qui est visible, mais ce qui l'est moins et qui précède la réaction de colère, c'est le bouillonnement intérieur difficile à taire. Ce bouillonnement vient souvent du sentiment d'être incompris, jugé, lésé, insulté ou non respecté. Quand on est sous l'emprise de ce sentiment, on a l'impression que rien ne va plus. En fait, on croit qu'on n'a pas le droit d'être soi-même et de ressentir ou d'agir comme on l'entend sans être critiqué.

À titre d'exemple, prenons le cas d'Antoine, qui dit à Martine qu'il aurait préféré qu'elle soit plus enthousiaste lors d'une récente soirée avec des amis. Antoine explique à Martine comment il a vécu les choses. Martine se met en colère et lui réplique que, s'il n'est pas content, il n'a qu'à sortir seul dorénavant. Antoine s'emporte à son tour en disant qu'il ne peut jamais rien lui dire, qu'elle a mauvais caractère, etc. Les portes claquent et chacun s'isole dans son coin, frustré et blessé. Dans cet exemple, Martine s'est clairement retrouvée sur la défensive. S'étant sentie attaquée, elle a répondu du tac au tac, sans chercher à comprendre le point de vue d'Antoine. En fait, Martine accorde beaucoup trop d'importance au point de vue d'Antoine; elle veut être toujours aimable et se soucie beaucoup de ce qu'il pense d'elle. Elle n'est pas suffisamment différenciée, comme nous l'avons vu au chapitre sur l'intimité. Lorsqu'on est sur la défensive, c'est bien souvent parce que l'on cherche à tout prix l'approbation des autres, mais que l'on finit par s'apercevoir qu'il nous est impossible de toujours l'avoir. Notre grande peur du rejet fait alors surface et l'on crie à l'autre notre besoin d'approbation en faisant exactement le contraire: on le rejette. On veut le blesser, lui montrer ce que cela fait. Martine, dans son cas, s'est tout de suite braquée, ce qui a mis un terme à la conversation et a ouvert le conflit. En fait, elle est probablement consciente qu'elle n'était pas au meilleur de sa forme; si elle l'avait tout simplement reconnu, le scénario aurait été bien différent. Mieux encore, elle aurait pu dire à Antoine, le soir de leur sortie, qu'elle était un peu fatiguée ou réticente à cette sortie et qu'elle préférait ne pas y aller, ou encore l'écourter, sans exiger d'Antoine qu'il renonce à cette soirée. Chacun est libre de faire ce qu'il veut et Martine n'a pas à imposer à Antoine sa fatigue ou son manque d'enthousiasme. Elle peut soit se mettre dans un état d'esprit plus positif si elle souhaite participer à cette soirée, soit renoncer à y aller si ça ne lui convient pas. Il arrive souvent aussi qu'on ait de la difficulté à fixer nos limites avec les autres; lorsqu'ils les transgressent, on prend une attitude défensive, on se met en colère plutôt que d'établir nos limites et d'en exiger le respect.

Prenons l'exemple d'Olivier, qui n'aime pas que sa partenaire, Annie, invite ses amis chez eux tous les vendredis soir. Il aimerait passer du temps en couple, seul avec elle. Il ne le lui dit pas, sauf les quelques fois où il se fâche en lui lançant : « Tu as encore invité tes amis ce soir. Tu n'es vraiment pas capable d'être seule, toi ! » Lui et Annie entrent alors en conflit. Il vaudrait mieux, pour Olivier, d'expliquer calmement à Annie qu'il apprécie ses amis, mais à l'occasion. Qu'il aimerait premièrement avoir plus de moments en amoureux avec elle parce qu'il l'aime beaucoup et, deuxièmement, qu'il aimerait être consulté avant qu'elle fasse des invitations. Il serait alors plus disposé à recevoir ses amis. S'il a plutôt envie d'une soirée à la maison, elle peut sortir avec ses amis tandis que lui restera tranquillement chez eux. Annie pourra aussi décider de rester avec lui parce qu'elle en a le goût et verra ses amis le lendemain ou la semaine suivante. Cette discussion serait beaucoup plus enrichissante pour Olivier et Annie, car elle n'accuse en rien Annie, mais parle d'un besoin d'Olivier qui est exprimé à Annie. Olivier ne peut pas tenir Annie pour responsable de son malaise à avoir des gens à la maison puisqu'il ne lui a jamais expliqué son point de vue et ses limites. On est responsable de communiquer nos besoins et nos limites à notre partenaire et de voir au bien-être de chacun à travers cela.

RECONNAÎTRE L'ATTITUDE DÉFENSIVE

Maintenant que vous savez ce qu'implique l'attitude défensive, il est aussi important que vous puissiez déterminer quand vous êtes sur la défensive. Un bon indice est l'intensité de votre réaction. Lorsque votre réaction semble disproportionnée par rapport à l'événement, il est fort probable que vous soyez sur la défensive. Certains me diront qu'il n'est pas facile d'évaluer l'intensité de nos propres réactions. Rappelez-vous qu'il est important de savoir se juger de la manière la plus honnête possible. Il faut savoir reconnaître ses torts et ses exagérations. Personne n'est parfait ! Le reconnaître est déjà un grand pas. Donc, plus votre réaction est vive et colérique dans une discussion avec l'autre, plus grande est la probabilité que vous soyez sur la défensive. Derrière la réaction, il y a, bien entendu, l'intensité de l'émotion. Si vous vous sentez frustré, méprisé ou non respecté de manière importante par l'autre, cela signifie que vous avez peut-être affaire à un partenaire dominant et abusif. Dans ce cas, sauvez-vous ! Il faut savoir toutefois que, le plus souvent, cet état d'esprit indique plutôt que vous êtes sur la défensive. En effet, si vous êtes à l'écoute de vous-même, vous sentirez qu'il y a autre chose de plus fort qui vous affecte et vous fait réagir de cette façon. Ce n'est pas tant la situation en soi que ce qu'elle représente. Si vous êtes capable de faire ce constat, chapeau ! Vous venez d'admettre que vous êtes sur la défensive et vous êtes maintenant prêt à regarder pourquoi il en est ainsi.

Vous vous rappellerez qu'au chapitre précédent j'ai évoqué l'existence d'éléments de surface et d'éléments plus profonds. Ainsi, par exemple, lorsqu'on est sur la défensive, pour justifier une réaction excessive, on invoque souvent un élément de surface, de premier niveau, tel que le sentiment d'avoir été attaqué. Si on est plutôt malhabile en matière d'introspection, on accusera l'autre de nous avoir attaqués. N'oubliez pas ! Cessez de vous concentrer sur l'autre et concentrez-vous sur vous-même. Ce n'est pas l'autre qui vous a attaqué, c'est vous qui vous êtes senti attaqué. Votre réaction vous appartient : l'autre n'en est pas responsable. Votre interlocuteur vous a manqué de respect de manière flagrante ? Dites-le-lui ! Peut-être n'en est-il pas conscient. S'il l'est et prend un malin plaisir à vous manquer de respect, ayez plus de respect pour vous-même qu'il n'en a envers vous et passez à autre chose. C'est là votre responsabilité : faire des choix en fonction de votre mieux-être. Travaillez sur vous-même plutôt que sur l'autre.

Si votre interlocuteur ne vous a pas manqué de respect délibérément, vous pouvez en déduire que vous êtes fort probablement sur la défensive. Vous vous êtes senti attaqué ; c'est la raison de premier niveau. Au deuxième niveau, si vous creusez un peu, que s'est-il passé ? Qu'est-ce que l'intervention de l'autre est venue chercher en vous ? Est-ce que, par exemple, elle vous a rappelé un parent critique, qui n'était jamais satisfait et à qui vous avez cherché à plaire pendant des années ? Là, à ce moment précis, vous avez probablement cessé d'être l'adulte que vous êtes aujourd'hui et vous avez été projeté dans le passé, vous retrouvant subitement au cœur de votre petite enfance, dans la peau du jeune être qui avait tellement besoin d'amour et d'approbation. Lorsqu'on est sur la défensive, il est fréquent qu'une situation du présent touche une blessure non guérie, ravivant une souffrance du passé reliée aux parents, à l'enfance, à l'éducation ou encore à d'anciennes relations amoureuses.

Par exemple, pendant quatre ans, Mélissa a vécu une relation amoureuse avec un homme qui la contrôlait beaucoup. Il lui dictait son habillement, ses sorties et ses amis en plus d'exiger qu'elle se rapporte constamment à lui. Elle est restée très blessée de cette relation. Aujourd'hui, elle est en couple avec Frédéric, qui se montre très aimant à son égard. Pourtant, un jour, alors qu'elle revient de magasiner, elle lui montre les vêtements qu'elle a achetés et constate qu'il exprime peu d'enthousiasme. Il déclare que ses nouvelles acquisitions ne lui plaisent pas vraiment, mais précise que le plus important, c'est qu'elle les aime. Mélissa se met à pleurer et à crier. Elle reproche à Frédéric de la contrôler, de ne jamais être satisfait alors qu'elle fait tout pour lui plaire. Frédéric est abasourdi. Il n'y comprend rien, considérant qu'il a simplement donné son opinion. En fait, Mélissa est sur la défensive. Les reproches qu'elle fait ne s'adressent en rien à Frédéric, mais à son ancien partenaire. Elle ne vit plus le moment présent, mais est plutôt en contact avec une situation du passé qui n'est pas réglée.

NOS POINTS SENSIBLES

Cet exemple démontre bien l'importance de régler le passé, car, sinon, il nous hante et nous rattrape dans notre vie présente sans que nous nous en apercevions toujours. Donc, peu importe les raisons personnelles qui nous amènent à être sur la défensive, une chose est claire : lorsqu'un interlocuteur appuie sur un de nos « boutons de fragilisation », c'est-à-dire lorsqu'il touche un point

sensible, nous accédons instantanément à une zone de vulnérabilité en relation avec notre passé. Or, nous devons impérativement connaître nos zones de vulnérabilité et les travailler, car
elles peuvent nous replonger presque instantanément dans une
souffrance intense. Nous ne pouvons pas blâmer les autres d'avoir
appuyé sur nos boutons de fragilisation, car c'est nous qui
sommes responsables de nos émotions et de nos réactions. Nous
devons donc mettre à profit ces situations difficiles lorsqu'elles se
présentent pour en apprendre le plus possible sur nous-mêmes et
nous améliorer, accroître notre force intérieure. Cette force intérieure, chacun de nous peut l'acquérir. Elle n'est pas innée chez
personne. Elle se travaille à coups de blessures et d'apprentis-
sages, d'où l'importance de ne pas nous replier sur nous-mêmes,
mais plutôt de chercher à avancer.

Il existe plusieurs façons d'être sur la défensive et on regroupe
souvent ces différents comportements sous l'appellation «mécanismes de défense». Tous autant qu'ils sont, ces mécanismes n'ont
qu'une fonction : nous éviter d'entrer en contact avec une émotion ou une situation douloureuses. Quand nous sommes sur
la défensive et que nous réagissons avec colère, nous blâmons
l'autre, ce qui nous évite temporairement de faire face à notre
vraie souffrance, celle qui vient de notre passé.

LES DIFFÉRENTS MÉCANISMES DE DÉFENSE

Étant donné que les mécanismes de défense sont très nombreux,
je vais me contenter de vous présenter les principaux et de les
examiner brièvement plus loin :

- La négation de la réalité, qui nous amène à refuser de voir
  ce qui se passe réellement ;
- Le refus d'aborder un sujet, qui nous fait couper court à
  toute discussion sur un problème quelconque ;
- La minimisation d'un problème, qui nous incite à nier
  l'importance d'une situation et de son impact ;

- Le détournement de la conversation, qui fait que, pour éviter d'aborder certains sujets X, on en aborde d'autres aussitôt que les sujets X viennent sur le tapis;
- La manifestation d'agressivité;
- La projection, qui nous porte à attribuer à l'autre nos propres pensées ou sentiments;
- Le déplacement, qui consiste à manifester à une personne X une réaction qui en réalité concerne la personne Y;
- L'intellectualisation, qui nous porte à rationaliser des émotions ou des situations;
- Les comportements de fuite ou d'évitement, grâce auxquels on fuit nos problèmes à travers des excès de toutes sortes.

La négation de la réalité. Par exemple, Virginie refuse de voir qu'elle a un manque de désir sexuel. Elle préfère blâmer son partenaire, Éric, d'avoir trop de désir sexuel. Si elle regarde son problème en face, ça la ramène à sa mère qui, elle non plus, n'aimait pas beaucoup la sexualité et a été délaissée par son mari pour cette raison. Si elle replongeait dans ses souvenirs, Virginie serait en contact avec un possible rejet, une source de grande souffrance pour elle. Pour éviter cela, elle blâme Éric.

Le refus d'aborder un sujet. Chaque fois que Marie-Ève aborde le sujet des enfants, Samuel refuse d'en discuter. S'il en parlait avec elle, il aurait à faire face au fait qu'il n'est pas prêt à avoir des enfants et qu'il ne sait pas s'il sera prêt à en avoir un jour. Il craint que la discussion se termine en confrontation avec Marie-Ève, car il sait qu'elle souhaite en avoir. Samuel a longtemps été célibataire et a peur que Marie-Ève mette fin à la relation en apprenant sa position. Il a peur de se retrouver seul. Il préfère donc éviter le sujet. Il sait pourtant au fond de lui-même que tôt ou tard il devra en parler.

La minimisation d'un problème. Jacques a des problèmes d'érection et sa partenaire, Mylène, le lui rappelle régulièrement.

Pour Jacques, ses problèmes d'érection ne sont pas importants; il a bien d'autres priorités que la sexualité dans sa vie actuellement. Mylène en souffre, car elle aimerait bien avoir une sexualité de couple qui soit satisfaisante. Si Jacques faisait face à la situation, il aurait probablement à affronter sa propre souffrance: celle de ne pas se sentir aussi masculin, vu ses problèmes érectiles. Aussi, il aurait à s'interroger sur sa relation de couple, à savoir si elle n'est pas la cause, du moins en partie, de ses problèmes d'érection, vu que ceux-ci sont apparus pour la première fois dans cette relation. Cela l'amènerait à mettre en doute l'avenir de sa relation et il n'est vraiment pas prêt à cela.

Le détournement de la conversation. En détournant volontairement la discussion parce qu'on refuse d'aborder un sujet quelconque, on évite de faire face au problème. Par contre, le problème ne disparaît pas. Il reviendra tôt ou tard.

La manifestation d'agressivité. Lorsque Claudine essaie d'aborder le sujet de l'engagement avec Patrice, il se fâche et devient agressif. Cette attitude amène Claudine à ne pas insister et à laisser tomber le sujet. En adoptant une telle attitude, Patrice ne fait pas face au sujet avec Claudine, ni avec lui-même. Derrière son agressivité se cachent d'autres sentiments auxquels il ne fait pas face, la peur, par exemple. Cette peur ou cette insécurité demeure au fond de lui, là où personne n'ira gratter, pas même lui.

La projection. Ce mécanisme de défense est très souvent utilisé de manière inconsciente. Faire de la projection, c'est attribuer à quelqu'un d'autre nos propres pensées ou nos propres sentiments. Par exemple, Marcel accuse Corinne de regarder d'autres hommes et d'être attirée par eux. Corinne ne comprend absolument pas ses allusions et n'a rien à se reprocher. Marcel, quant à lui, regarde souvent les autres femmes et les désire, sans même s'en rendre compte consciemment. En réalité, il reproche à Corinne de faire ce qu'il fait lui-même. Ne voulant pas voir ou admettre ses pensées infidèles, il trouve plus simple d'accuser Corinne. Cela cause pourtant d'importantes tensions au sein du couple.

Le déplacement. Ce mécanisme de défense se résume à exprimer des sentiments à une personne X alors qu'ils nous ont été inspirés par une personne Y. Par exemple, Huguette exprime souvent de la colère à son gendre, qu'elle accuse de briser sa famille. En fait, elle en veut au conjoint de sa mère qui, par le passé, a mis un froid entre la mère et ses enfants. Huguette en a souffert. Elle déplace sa colère envers son gendre, qui ne ressemble pourtant pas à son beau-père. Huguette a très peur de perdre aussi sa fille. Elle ne se rend pas compte que c'est son attitude qui risque de lui faire perdre sa famille actuelle, et non l'attitude de son gendre.

L'intellectualisation. Intellectualiser équivaut à raisonner des émotions et des situations pour ne pas être en contact avec elles. L'attitude de la personne qui intellectualise peut pourtant paraître noble à première vue. Je pense ici à Pascal, qui répète à qui veut l'entendre que le passé est le passé et qu'on ne peut rien y faire. L'important est de regarder vers l'avant. Cela peut sembler être, à première vue, une belle philosophie de vie. Mais cela cache souvent un évitement du passé parce que le regarder serait plus souffrant et déstabilisant. Je ne dis pas ici qu'il faut vivre dans le passé, mais il ne faut pas le fuir non plus. Il faut le regarder, faire face à nos difficultés et nos souffrances pour ensuite pouvoir regarder vers l'avant. Pensez-y ! Quiconque ne comprend pas son passé est condamné à le répéter. Cela illustre bien pourquoi plusieurs victimes d'abus de toutes sortes durant l'enfance se retrouvent souvent dans des relations où elles sont aussi abusées une fois adultes. Quelqu'un m'a déjà dit : « Ce que tu fuis te poursuit, ce à quoi tu fais face s'efface. » Je crois que ça résume bien des choses.

Les comportements de fuite ou d'évitement. Ce sont des mécanismes de défense auxquels nous recourons pour ne pas faire face à nos problèmes : consommer certaines substances, dormir ou travailler à l'excès, passer d'une relation à l'autre ou d'un extrême à l'autre, vivre en célibataire endurci, s'adonner au cybersexe ou consommer des services sexuels. En d'autres termes, l'évitement inclut tout ce qui nous distrait de nous-mêmes et de nos besoins ainsi que tout ce qui nous empêche de faire face à nos blocages et à nos souffrances. Nous devons prendre conscience d'une chose cruciale : nos problèmes ne s'effacent pas. Nous avons beau nous efforcer de les cacher au fond de notre placard émotionnel, il viendra inévitablement un jour où, en ouvrant la porte, nous les recevrons en avalanche par la tête. Et croyez-moi, cela fera mal !

LES CONSÉQUENCES DE L'ATTITUDE DÉFENSIVE

Quand on est sur la défensive avec notre partenaire, il peut réagir de plusieurs façons, mais une chose est presque certaine : un fossé se creuse entre nous. De plus, il peut lui aussi se retrouver sur la défensive, ce qui risque de donner lieu à une escalade de mots blessants dont chacun sortira brisé. Même si notre partenaire ne se met pas sur la défensive, il peut y avoir bien des conséquences sur la vie de couple et sur la sexualité. Souvent, une incompréhension mutuelle se manifestera par de la colère, de la frustration, de la déception et une attitude de fermeture face à l'autre. À la longue, on peut finir par avoir peur de dire des choses à l'autre parce qu'on redoute sa réaction. Il y a donc moins de dialogue et d'échange, ce qui crée un vide, un manque important à combler, d'où l'émergence de bien des comportements de fuite : consommation d'alcool ou de drogue, travail excessif, infidélité, etc. Le dialogue est coupé et chacun est malheureux. Pour éviter les conflits, certains choisissent de maintenir la relation à un niveau superficiel, ce qui n'amène qu'une insatisfaction profonde. Avec le temps, plusieurs en viennent à se demander s'ils sont davantage des amis ou des colocataires que des amoureux. La distance émotionnelle ainsi créée ne fait que renforcer le manque de communication et la souffrance intérieure, puis elle se transpose dans la sexualité. Il y a moins de rapprochements ; on ne prend plus le temps de se toucher, de se caresser. On s'évite. À partir du moment où on ne sent plus qu'on a l'espace nécessaire pour se dévoiler et être soi-même dans la relation, on trouve très difficile de s'abandonner sexuellement.

Si vous repensez à la maison de l'amour que j'ai décrite au chapitre 5, vous vous rappellerez qu'une vraie intimité sexuelle exige la solidité de plusieurs niveaux d'intimité. Lorsque la distance et le manque de communication s'installent dans le couple, la sexualité en est affectée. Pour tenter de protéger leur sexualité, certains partenaires se donneront des moments sexuels partagés pour «réparer le conflit». Toutefois, bien que la relation sexuelle soit un moyen de communication, un rapprochement affectif et physique entre deux personnes qui s'aiment, elle ne peut pas réparer le conflit. D'ailleurs, ces moments sexuels partagés lors de conflits sont souvent teintés d'une certaine intensité liée à la colère que l'on ressent envers l'autre, ce qui les apparente davantage à un défoulement qu'à un rapprochement. Ils ne règlent rien et n'aplanissent pas les difficultés, mais constituent plutôt une fuite pour ne plus discuter du sujet qui nous contrarie. Une fois que les deux partenaires auront abordé leurs problèmes, qu'ils en auront discuté sérieusement et qu'ils les auront réglés à leur satisfaction, ils pourront songer à faire l'amour, c'est-à-dire à rapprocher leurs corps et leurs âmes à travers une belle communication sexuelle, empreinte de respect et d'amour.

Il n'est évidemment pas facile, quand une personne est sur la défensive, de garder son calme. Par contre, c'est l'attitude à privilégier. De plus, il faut se mettre à l'écoute de ce qu'elle ne nous dit pas quand elle est sur la défensive. Si on ne fait qu'entendre ce qu'elle nous dit, on reçoit du blâme, des cris, une réaction disproportionnée. Si on écoute ce qu'elle nous dit, alors on perçoit ce qui se cache derrière son attitude agressante : une peine due au sentiment qu'elle a d'être jugée et non respectée. Son attitude d'autoprotection camoufle un besoin d'être écoutée et comprise. La souffrance a besoin d'être entendue. Par contre, lorsqu'on se sent vulnérable, on est généralement peu porté à s'ouvrir davantage et à nommer notre état. Le plus souvent, on

cherche à se protéger et on attaque celui ou celle que l'on considère comme un ennemi. Quand on sait que l'autre se défend de
ce qu'il interprète comme une attaque, on ne doit pas attaquer
en retour, car on entrerait alors dans une sorte de duel dont
l'issue serait inévitablement marquée par des pertes des deux
côtés, comme dans toute guerre. Au contraire, on aurait intérêt
à se donner les moyens suivants :

1. Tout d'abord, rester calme en respirant profondément et
   en essayant de garder son sang-froid ;
2. Être conscient que la réaction de l'autre ne nous appartient pas. On ne l'a pas provoquée et on n'a pas à se sentir
   coupable ni responsable ;
3. Comprendre que l'autre est en train de vivre quelque
   chose de très intense qui est probablement relié à son
   passé et à ses fragilités personnelles. Il est dans un état de
   vulnérabilité ;
4. Écouter et faire preuve d'empathie, en disant, par exemple :
   « Qu'est-ce qui ne va pas ? » ou encore : « Qu'est-ce qui te
   fâche ? », d'un ton doux et respectueux ;
5. Amener la conversation sur la peine de l'autre. Laisser
   tomber le sujet de dispute en ce moment pour s'attarder
   davantage à la réaction de l'autre et aux points sensibles
   qui ont été touchés.

Il faut souvent bien de la patience et de la compréhension de
la part des deux protagonistes pour sortir de ce genre de situation.
On doit se rappeler que la personne sur la défensive ne fait pas
exprès pour réagir ainsi ; ses émotions deviennent trop intenses
et elle perd son calme. À un moment ou à un autre, chacun de
nous peut se retrouver en position de défensive. Pour être capable
de dépasser cette réaction et de vivre en meilleure harmonie avec
soi et les autres, il faut d'abord prendre conscience de nos propres
réactions défensives.

Vous et vos mécanismes de défense

Prenez votre journal de bord et répondez aux questions suivantes. Avant de répondre à la première question, vous pouvez vous rafraîchir la mémoire en relisant les exemples que j'ai donnés pour illustrer quelques mécanismes de défense (voir pages 171 à 173, 175 et 177 à 179.)

1. Quels sont vos principaux mécanismes de défense ?
2. Quelles sont les principales situations où vous êtes sur la défensive ?
3. Avec quelles personnes êtes-vous le plus souvent sur la défensive ?
4. Pour quelles principales raisons êtes-vous sur la défensive en regard des situations et des personnes ?
5. Que gagnez-vous à être sur la défensive ?
6. Que perdez-vous à être sur la défensive ?

Après avoir répondu à chacune de ces questions, vous êtes sûrement davantage en mesure de comprendre vos réactions et leurs fondements. C'est déjà un grand pas vers le changement. Si vous voulez faire un pas de plus, essayez, la prochaine fois où vous sentirez la colère monter, de vous calmer et de dire à votre interlocuteur ce que vous ressentez. Si vous n'y arrivez pas et que vous vous rendez compte que vous êtes sur la défensive, vous pourrez toujours lui faire des excuses et lui révéler ce que vous avez ressenti, selon le cas. Par exemple, si vous vous êtes fâché contre une collègue qui vous rappelait votre mère et son intransigeance, vous pouvez simplement lui dire que vous êtes désolé de votre réaction démesurée, que cette situation vous a rappelé certaines difficultés avec vos parents quand vous étiez plus jeune. Ne vous sentez pas obligé de vous justifier auprès de qui que ce soit. Par contre, si vous gardez à l'esprit que votre collègue a probablement été heurtée par votre attitude défensive, vous devriez lui fournir des précisions sur le contexte afin qu'elle puisse mieux comprendre la situation. Enfin, le plus important, méfiez-vous d'une réaction de prétendue indifférence, et ce, qu'elle vienne de vous ou de votre interlocuteur. Au moyen d'affirmations telles que : « Je me fous de ce qu'elle pense » ou « Il peut dire ce qu'il veut, c'est son problème », nous tentons généralement de nous protéger d'éventuelles blessures, mais, au fond, nous sommes encore fragiles et vulnérables. Ainsi, la prochaine fois où nous ferons face aux critiques de l'autre personne, nous serons encore plus facilement sur la défensive. Ne tenez rien pour acquis. Observez-vous et apprenez de vos erreurs. C'est le plus sûr chemin vers une vie proactive plutôt que défensive.

Nous avons vu brièvement dans ce chapitre que nous nous mettons à l'occasion sur la défensive à cause de certaines situations passées impliquant parfois nos parents. Dans le prochain chapitre, nous allons analyser différents modèles parentaux. Grâce à ces pistes de réflexion, vous serez à même de déterminer le type de parents que vous avez eus et en quoi ils vous ont influencé, tant positivement que négativement.

Chapitre 10

L'analyse des modèles parentaux

D ans ce chapitre, vous trouverez des pistes de réflexion qui vous permettront de faire l'analyse de vos modèles parentaux. Les modèles sont importants à tout âge, mais ils ne sont rien de moins qu'essentiels durant l'enfance. N'est-ce pas à l'aide de modèles que l'enfant grandit, s'épanouit ou, au contraire, se replie sur lui-même, acquiert une piètre estime de soi et connaît des difficultés personnelles, sexuelles et relationnelles une fois adulte ? Personnellement, je crois que les enfants ont plus besoin de modèles que de critiques. Malheureusement, on doit admettre que les enfants sont plus souvent blâmés qu'encouragés dans bien des foyers.

Les premiers modèles d'un enfant sont, bien entendu, ses parents. Le rôle de parent est le plus exigeant de tous et il n'existe aucun cours pour nous y préparer, me direz-vous. C'est vrai. Soyez rassuré, cependant, car l'idée ici n'est pas de jeter systématiquement la pierre à ceux et celles qui élèvent des enfants, au contraire. J'espère toutefois que la difficulté évidente de la tâche ne vous empêchera pas d'amorcer une réflexion sur vos modèles et la façon dont ils vous ont influencé positivement et négativement. Bien des parents ne sont pas conscients de ce qu'ils lèguent à leurs enfants comme modèles, mais cela n'empêche pas que, une fois adultes, ces enfants auront intégré à leur vie certains éléments de leurs modèles parentaux.

Très peu d'entre nous peuvent se vanter d'avoir eu une enfance parfaite et des parents parfaits. En ce sens, nos parents ont été des modèles imparfaits. Nier cette réalité ne mène nulle part, sinon à refouler nos sentiments et nos difficultés. En revanche, reconnaître que nous avons eu des manques dans notre éducation pour ensuite en constater les dommages constitue peut-être la voie la plus susceptible de nous permettre de combler ces lacunes, si possible, et d'évoluer en tant qu'êtres humains. C'est ce que je vous propose.

UN EXEMPLE POSITIF OU NÉGATIF

Qu'est-ce qu'un modèle ? En fait, un modèle n'est pas nécessairement un exemple à suivre : c'est un exemple de ce que l'on peut faire ou ne pas faire. Le problème, c'est que l'enfant n'a pas toujours plusieurs exemples. Il a d'abord et avant tout celui de ses parents. Par conséquent, si ses parents ne sont pas de bons exemples, l'enfant vivra pratiquement à coup sûr des difficultés importantes. Un modèle est donc un exemple, une possibilité. On peut l'imiter ou s'en inspirer, ou, au contraire, le rejeter en partie ou en totalité. Or, le jeune enfant n'a pas l'esprit critique suffisamment développé pour faire la distinction entre un bon modèle et un modèle discutable. Il est comme une éponge. Il absorbe tout, sans faire nécessairement de discrimination. Pour se développer sainement, l'enfant a absolument besoin d'un bon modèle parental. Même si les deux parents jouent parfois des rôles similaires – par exemple donner de l'affection et les soins de base, favoriser l'instruction, enseigner des valeurs, faire de la discipline –, chacun d'eux a aussi son rôle propre à jouer dans le développement de l'identité sexuelle de l'enfant et dans son développement psychosexuel.

Le parent est donc un exemple sur plusieurs plans. L'enfant regarde son parent réagir dans différentes situations, observant sa personnalité, son attitude et son comportement. Il apprend de lui. Si le parent a tendance à se plaindre de tout et de rien, il y a de fortes chances que l'enfant reproduise cette attitude pessimiste et défaitiste. Si le parent se met en colère facilement, l'enfant sera probablement prompt à se fâcher lui aussi. Au contraire, si le parent gère sainement ses émotions, l'enfant apprendra à faire de même. De manière souvent indirecte, le parent enseigne également des valeurs et des principes à travers son attitude, ses prises de position et sa façon de discuter, entre autres choses. Par exemple, si, lorsqu'il veut expliquer son comportement, l'enfant se fait répondre d'un ton ferme : « Sois poli, je suis ta mère ! », il apprendra la loi du plus fort. Cela pourrait lui nuire dans ses rapports avec les autres, car il aura tendance à se taire et à se sentir inadéquat dans certaines situations et à user d'un excès d'autorité dans d'autres situations. Si au contraire le parent lui témoigne du respect, l'enfant comprendra que tous méritent le respect.

Le parent est également un modèle en ce qui a trait aux relations de couple. Si ses parents vivent toujours ensemble, l'enfant aura régulièrement sous les yeux un exemple de ce que peut être une vie de couple. Si les parents se manquent mutuellement de respect, s'évitent et se disputent, l'enfant ne verra pas le couple comme quelque chose de positif. Au contraire. Pour lui, le couple représentera quelque chose d'insécurisant et de frustrant. L'enfant qui a vu ses parents se témoigner peu de tendresse, d'affection et de communication n'aura certainement pas tendance à se montrer tendre, affectueux et communicatif avec son partenaire, une fois adulte. Si ses deux parents sont séparés, l'enfant observera leur façon d'évoluer dans leur nouvelle vie de couple respective ou la manière dont ils assument leurs tentatives infructueuses pour former un nouveau couple. À force d'être témoins des échecs sentimentaux de leurs parents, les enfants pourront finir par éprouver du découragement à l'égard de l'amour. Si leurs parents changent souvent de partenaires, d'autres vivront aussi de l'insécurité, car ils perdront plusieurs objets d'attachement. Enfin, ceux dont les parents auront refait leur vie chacun de leur côté de manière saine pourront demeurer positifs face à l'engagement et à la vie de couple.

L'ÉLABORATION DE L'IDENTITÉ SEXUELLE

Les parents servent également de modèles dans le développement de l'identité sexuelle[7] de l'enfant. Le père agit comme modèle de masculinité et la mère comme modèle de féminité. Afin qu'un enfant puisse bien se développer en tant que garçon ou en tant que fille, il est essentiel que le parent du même sexe soit suffisamment masculin dans le cas du père et suffisamment féminin dans le cas de la mère. Un manque d'assurance dans l'identité sexuelle du parent du même sexe peut entraîner des défaillances dans l'identité sexuelle de l'enfant. En effet, il sera difficile pour une fille d'être féminine si sa mère ne l'est pas suffisamment, tout comme il sera difficile pour un garçon d'être masculin si son père ne l'est pas suffisamment. On considère qu'une personne a une identité sexuelle solide lorsqu'elle se sent bien dans sa peau d'homme ou de femme, en harmonie avec les caractéristiques physiques et sexuelles propres à son genre. Elle doit également être en mesure d'adopter certaines attitudes de l'autre sexe afin de constituer un tout humain. Finalement, lorsqu'on la regarde, on doit voir une cohérence entre son physique, son attitude, son comportement et sa personnalité, sans avoir l'impression de se retrouver devant une caricature.

Le père est le premier modèle de représentant masculin aux yeux de l'enfant : il représente ce que le garçon se voit devenir. Le garçon veut être et faire comme son père. C'est d'ailleurs de là que viennent les comportements malheureux de certains hommes violents : leur père était violent et ils ont appris à être violents. Le père a donc un rôle crucial à jouer dans la vie de son garçon. Il doit lui enseigner les aspects positifs reliés au fait d'être un homme, par exemple l'affirmation de soi sans violence. Évidemment, s'il est lui-même fragile dans son identité d'homme, il peut difficilement donner un exemple positif à son garçon.

---

7. Sentiment d'appartenance à son sexe anatomique.

Prenons l'exemple de Julien, qui se souvient de son père comme d'un homme discret, qui parlait peu et s'affirmait peu face à sa conjointe. Il n'a jamais été très sportif, n'avait pas de « soirées de gars », passait son temps à lire son journal et faisait peu d'activités avec son fils. Julien se rappelle aussi que sa mère reprochait souvent à son père d'être efféminé[8], pas assez masculin dans ses attitudes et dans son apparence. Julien est confus relativement à ce qu'est un homme et à ce que lui-même doit devenir. Il n'a pas su acquérir de l'assurance dans sa masculinité. Il est timide avec les filles et n'arrive pas à faire les premiers pas. À 26 ans, il n'a jamais eu de relation amoureuse avec une fille. Il ne sait pas comment s'y prendre et a très peur d'être rejeté par les femmes. Pour lui, elles sont menaçantes et critiques. Il craint de ne pas être à la hauteur. Julien a manqué d'un bon modèle masculin à la maison, ce qui a entravé le développement de sa masculinité et lui a nui dans ses relations avec le sexe opposé.

Par l'exemple et par des discussions, le père a la responsabilité d'enseigner à son garçon les rudiments de ce que c'est qu'être un homme. Il doit aussi favoriser l'évolution de la masculinité de son garçon en l'encourageant à adopter les attitudes et les comportements qui y sont rattachés. Ainsi, à travers sa relation avec sa conjointe, il montre à son garçon comment agir avec une femme dans une relation amoureuse. Pour être un bon exemple, il doit avoir confiance en lui-même, savoir s'affirmer, se montrer responsable et attentif aux besoins de sa conjointe, faire preuve de respect et exercer un certain pouvoir de séduction.

Le père a un rôle tout aussi important à jouer vis-à-vis de sa fille. Il est le premier exemple de ce qu'est un homme. Avec lui, la petite fille vit son premier rapport avec un homme. Il est donc important qu'elle puisse être « la petite fille à son papa » pendant une certaine période. C'est ainsi qu'elle apprendra qu'elle peut

---

8.   Trop féminin.

avoir l'attention d'un homme, ce qui sera bénéfique pour son estime de soi en tant que femme. Le père doit lui donner de l'attention et démontrer de l'intérêt pour ses activités, la complimenter sur son apparence et ses réussites, favoriser l'émergence de sa féminité et la diriger vers la mère pour qu'elle en apprenne davantage sur ce plan. Il ne doit surtout pas en faire un petit copain qu'il peut emmener partout afin de partager avec lui des activités auxquelles il s'adonnerait avec un garçon. Il risquerait ainsi de favoriser chez elle le développement de composantes plus masculines que féminines, ce qui pourrait éventuellement affecter son image d'elle-même, son rapport avec les hommes et sa sexualité.

Prenons l'exemple de Marie-Josée, qui est fille unique. Parce que sa mère travaillait beaucoup, Marie-Josée se retrouvait souvent seule avec son père. Quand elle voulait lire, il l'emmenait avec lui dans le garage pour qu'elle l'aide à travailler sur l'auto ou à effectuer des réparations sur la maison. Quand ils avaient terminé, il jouait au baseball avec elle et en fin de journée, quand ils étaient fatigués, ils faisaient des constructions à l'aide de blocs jouets.

Aujourd'hui, Marie-Josée a de la difficulté à établir une relation amoureuse satisfaisante avec un homme. Elle est la bonne copine, celle avec qui les gars sortent en groupe et qui est pratiquement une des leurs. Pour séduire un homme, c'est une tout autre histoire. Aux yeux de ses copains, elle est une bonne confidente, mais aucun d'eux ne lui démontre le moindre intérêt sur le plan amoureux. Elle est quelque peu désemparée. Son père ne l'a jamais encouragée à fréquenter des garçons. Lorsqu'elle lui en a parlé dernièrement, il a admis n'avoir jamais été à l'aise avec le fait d'élever une fille. Ne sachant pas comment s'y prendre avec elle, il l'a élevée comme si elle avait été un garçon. Même si à l'époque il était bien intentionné, Marie-Josée a malheureusement des problèmes aujourd'hui.

Tout comme pour le garçon, le père constitue pour la fille un exemple de l'apport de l'homme dans une relation de couple. Si la petite fille s'identifie à sa mère, comme cela devrait être le cas, et que son père agit de façon respectueuse et amoureuse avec sa mère, elle recherchera ce modèle dans ses relations de couple. Par conséquent, elle sera susceptible de connaître des relations amoureuses plus saines. Si, au contraire, son père agit de manière dominante et méprisante avec sa mère, la petite fille risque de considérer cette attitude comme normale. Elle cherchera constamment l'amour d'hommes qui ne savent pas l'aimer ni la respecter comme elle le mérite. Elle pourrait subir bien des déceptions et des blessures.

La mère a un rôle tout aussi important à jouer dans le développement de l'identité sexuelle de ses enfants. Elle doit être un modèle de féminité pour sa fille. Elle doit savoir exprimer de la douceur et de la compréhension; valoriser la communication et le partage; avoir le souci de son apparence et une certaine coquetterie. La fille regarde sa mère: elle se dit que c'est ça, être une femme, et se demande si elle veut en être une. Plus le modèle féminin de sa mère est complet et sain, plus il sera facile pour la fille de s'y identifier et de développer sa propre féminité.

Je pense à Mireille, dont la mère gérait la maisonnée comme on gère une entreprise et pour qui l'écoute et le dialogue n'étaient qu'une perte de temps. La coquetterie? N'en voyant pas l'utilité puisqu'elle était mariée, elle soignait peu son apparence. Elle était davantage un être humain et une mère qu'une femme bien dans sa féminité. Mireille a beaucoup appris de l'assurance de sa mère, ce qui la sert très bien dans son travail et sa personnalité. Du côté de la féminité, par contre, c'est une tout autre histoire. Mireille se rappelle l'horreur avec laquelle elle a constaté qu'elle commençait à avoir des seins et a découvert qu'elle avait ses premières règles. D'ailleurs, à ce moment-là, sa mère lui avait dit: «Pauvre petite fille! Tes problèmes commencent!» En fait, de façon générale, sa mère lui a donné une image plutôt négative de ce que c'est que d'être une femme. Mireille a aujourd'hui bien des difficultés à être femme dans son couple et dans sa sexualité. Elle canalise toute son énergie dans le sport et la compétition. Elle est une personne saine, mais qui vit difficilement dans sa peau de femme.

La mère a un rôle tout aussi important avec son garçon. Elle doit encourager ses comportements et ses champs d'intérêt masculins et souligner ses réussites. Elle doit le renvoyer au père pour qu'ensemble ils échangent sur ce qu'est la masculinité, pour peu que le père en soit un bon exemple. Aux yeux du garçon, sa mère est la première femme avec qui il entre en relation. Cette relation influencera ses relations subséquentes avec les filles.

Prenons l'exemple de Jean, qui, pendant une bonne période de sa vie, a vécu seul avec sa mère, une femme autoritaire qui criait souvent après lui. Estimant qu'elle n'avait pas le temps de soigner son apparence, elle était peu féminine. Pendant longtemps, les filles ont été des conquêtes pour Jean, qui avait peu de respect pour elles. Il a réussi malgré tout à former un couple avec une femme qui a fait preuve d'énormément de patience à son égard, car il était dur avec elle, l'humiliant parfois devant la famille ou les amis. Au bout du compte, il s'est attaché à elle et a appris à la respecter. Par contre, sa frustration envers les femmes – une généralisation de sa colère pour sa mère – existe toujours. Comme tout homme, il lui est cependant très difficile d'exprimer sa colère directement à sa mère, car il risquerait d'être rejeté par elle. Or, c'est une situation qu'il est incapable d'envisager. Inconsciemment, il redirige sa colère vers les autres femmes. Ayant appris à aimer sa conjointe, il a tout de même besoin d'une soupape pour évacuer sa frustration. Dans son cas, il consomme beaucoup de matériel pornographique dégradant pour la femme. C'est là qu'il va chercher son plaisir sexuel. Sa frustration existe toujours, mais elle est simplement moins apparente.

LE PARENT ABSENT

Vous aurez donc compris que les parents ont un rôle déterminant à jouer dans le développement de l'identité sexuelle de leurs enfants et plus tard dans le choix de leurs partenaires. Qu'arrive-t-il aux enfants qui, pour toutes sortes de raisons, ne grandissent pas avec un père et une mère dans la même maison ? Le plus important, c'est que l'enfant bénéficie d'un bon modèle masculin et d'un bon modèle féminin pendant son développement, et ce, même si ses deux parents ne vivent pas sous le même toit. Par contre, il est fortement souhaitable que l'enfant ait accès régulièrement à ses deux modèles. Que se passe-t-il si l'un des deux parents n'est plus dans son entourage ? Il est alors essentiel que l'enfant puisse trouver dans son milieu un autre modèle du même sexe que le parent manquant. Ce modèle substitut qui aidera l'enfant à se développer pourrait être un ami de la famille, une tante, un oncle, un voisin, un professeur, etc. Idéalement, toutefois, les bons modèles devraient être les parents.

LES MODÈLES SEXUELS

Les parents sont aussi des modèles sexuels, car c'est leur propre image de la sexualité qu'ils projettent à leurs enfants. Plus leur image de la sexualité est positive et plus ils sont à l'aise avec cet aspect de leur vie, plus ils seront à même de transmettre ces valeurs à leurs enfants. Toutefois, être à l'aise avec sa sexualité en tant que parent ne signifie pas qu'il faille parler ouvertement de ses expériences sexuelles ni laisser traîner des films ou des accessoires érotiques. L'enfant peut en être traumatisé, car il s'agit là d'une trop grande somme d'informations pour son stade de développement. Par contre, pour le parent, être à l'aise avec la sexualité signifie pouvoir aborder le sujet sans gêne, en respectant le niveau de compréhension de son enfant, et discuter ouvertement de ses interrogations à lui en lui donnant l'encadrement et les balises dont il a besoin à son âge.

Comme je l'ai dit précédemment, un parent peut être un bon modèle ou un modèle inadéquat. Cela s'applique aussi à la sexualité. Le père qui accumule les fréquentations d'un soir donnera à son fils une image très partielle et plutôt génitalisée de la sexualité. Le garçon pourrait être tenté de reproduire ce modèle, car il aura appris que la sexualité consiste à satisfaire régulièrement ses besoins sexuels primaires, sans chercher à bâtir une relation stable autour de ses désirs. Pour sa part, la petite fille dont le père agirait ainsi pourrait se faire une image plutôt négative des hommes, croyant qu'ils ne recherchent que leur propre plaisir. Elle risquerait de mettre la sexualité de côté en refusant d'être un objet sexuel.

Par ailleurs, la fille dont la mère sanctifierait la sexualité comme l'ultime façon d'exprimer de l'amour pourrait finir par avoir une attitude très romantique à l'égard de la sexualité. Dans sa conception de la sexualité, l'amour prendrait toute la place au détriment du plaisir génital. De son côté, le fils risquerait d'éprouver de la difficulté à exprimer du désir aux femmes, par peur d'être vu comme un pervers, personnage qui ne correspondrait pas à l'image donnée par la mère. Il pourrait aussi développer une vision très dichotomique de la sexualité où, d'un côté, il y aurait sa femme et, de l'autre côté, la pornographie ou les travailleuses du sexe. Certains hommes vont d'ailleurs chercher chez les prostituées des faveurs qu'ils n'oseraient jamais demander à leur femme, parfois par peur de la choquer, mais surtout parce que, selon leurs propres valeurs, leur femme ne peut s'adonner aux comportements sexuels pour lesquels ils ont de l'intérêt.

Dans ma pratique de sexologue, j'ai souvent constaté que les difficultés sexuelles étaient liées au manque de modèles parentaux adéquats et à la difficulté d'intégrer sainement les composantes de l'identité sexuelle. Les femmes viennent me consulter pour un manque de désir sexuel, une difficulté à atteindre l'orgasme par la pénétration et des douleurs lors de la pénétration. Plusieurs d'entre elles avaient une mère peu féminine qui avait une attitude plutôt conservatrice à l'égard de la sexualité. Faute de mieux, mes clientes ont copié ce modèle. Dans un premier temps, mon travail consiste alors à leur faire prendre conscience des lacunes du modèle féminin de la mère. Dans un deuxième temps, nous établissons le lien entre la pauvreté de leur modèle et leurs difficultés amoureuses et sexuelles. Enfin, nous déterminons des pistes de travail qui leur permettront de pallier ces difficultés et d'atteindre une harmonie amoureuse et sexuelle dans leur vie présente et future.

N'oublions pas que la mère n'est pas la seule à jouer un rôle essentiel dans le développement de la féminité de sa fille : le père est également un acteur de premier plan dans ce domaine. Que ce soit de manière positive ou de manière négative, il peut renforcer ou diminuer la portée de ce que la mère a instauré. Prenons quatre situations virtuelles pour illustrer tout cela :

- Dans la première situation, la fille n'a aucun problème d'identité sexuelle. La mère a été un modèle de féminité adéquat et, de son côté, le père a encouragé et souligné la féminité de sa petite fille.
- Dans la deuxième situation, la fille a trouvé chez sa mère un modèle de féminité adéquat, mais son père ridiculisait ses tentatives visant à exprimer sa féminité. En grandissant, elle est devenue de plus en plus mal à l'aise avec les signes extérieurs de la féminité.
- Dans la troisième situation, la fille avait une mère très peu féminine ou carrément absente de sa vie. Son père a tout de même encouragé et souligné sa féminité. En grandissant, elle a développé des composantes à la fois masculines et féminines. Elle souffre d'insécurité dans sa féminité et a un grand besoin de l'approbation des hommes sur ce plan.
- Dans la quatrième situation, la fille avait une mère très peu féminine ou carrément absente de sa vie. De plus, le père n'encourageait pas sa féminité, au contraire. La jeune femme a des composantes majoritairement masculines et, pour elle, être féminine est quelque chose de dépassé. C'est se mettre en position d'infériorité par rapport aux hommes.

Chez les hommes, les difficultés sexuelles sont fréquemment liées à un manque de modèles parentaux adéquats et à la difficulté d'intégrer sainement les composantes masculines. Ils viennent me consulter pour une dysfonction érectile ou un problème d'éjaculation précoce. Pour plusieurs d'entre eux, le père était peu masculin et la sexualité demeurait un sujet tabou à la maison. Comme dans le cas des femmes, je travaille d'abord à leur faire prendre conscience des lacunes de leur modèle masculin et du malaise lié à la sexualité dans leur éducation. Nous établissons ensuite le lien entre le modèle masculin inadéquat et leurs difficultés sexuelles, puis nous déterminons des pistes de travail thérapeutique. Même si le père est le principal responsable du développement de l'identité masculine du garçon, la mère a aussi un rôle à jouer et, tout comme le père influence la féminité de la fille, elle influence considérablement la masculinité du garçon. Voyons les quatre situations virtuelles que j'ai imaginées pour illustrer tout cela :

- Dans la première situation, le garçon a eu un père qui était un bon modèle masculin et une mère qui encourageait sa masculinité. Une fois adulte, il a bien des chances d'établir des relations amoureuses et sexuelles saines.
- Dans la deuxième situation, le garçon a trouvé chez son père un bon modèle masculin, mais sa mère tentait de le garder près d'elle en le surprotégeant. Il a grandi dans la confusion entre l'indépendance et l'assurance que son père tentait de lui inculquer et la dépendance à laquelle sa mère l'encourageait. Adulte, il établit des relations dans lesquelles il a besoin de sa partenaire, mais se sent inadéquat face aux autres hommes. Il a conscience qu'il lui manque quelque chose pour se sentir vraiment des leurs.
- Dans la troisième situation, le garçon a eu un père très peu masculin ou carrément absent de sa vie. Sa mère a cherché un autre modèle masculin pour son fils et l'a encouragé à se détacher d'elle pour qu'il se lie à son groupe d'appartenance : les hommes. Le jeune homme est confus, car sa mère a encouragé quelque chose qu'il ne

connaissait pas. Il est ambivalent entre le masculin qu'il ne connaît pas et le féminin qu'il ne veut pas être.

- Dans la quatrième situation, le garçon a eu un père peu masculin ou carrément absent de sa vie. Sa mère l'a gardé près d'elle et l'a surprotégé, souvent pour compenser les lacunes du père. Ce faisant, elle a malheureusement découragé davantage son adhésion à la masculinité. Le jeune homme a développé plus de composantes féminines que de composantes masculines. En couple, il se retrouve souvent avec une femme qui a davantage de composantes masculines que de composantes féminines, toujours dans l'idée de trouver son complément.

LA DÉPENDANCE SEXUELLE

Plusieurs hommes viennent me consulter pour une dépendance au sexe. Leur problème est le plus souvent lié à la relation tumultueuse qu'ils ont eue avec leur mère. On retrouve deux types principaux : celui qui cherche à établir un lien affectif privilégié à travers la sexualité et celui qui cherche son plaisir à travers la dégradation de la femme. Dans le premier cas, la mère était souvent absente physiquement ou affectivement et le garçon a souffert de ce manque. Il cherche la fusion à travers la sexualité. Il peut développer une dépendance affective et sexuelle aux danseuses, aux escortes, aux interlocutrices de lignes téléphoniques érotiques, etc. Il a besoin d'être rassuré sur sa masculinité et sa sexualité.

Dans le deuxième cas, la mère était sévère et critique envers son fils ou carrément absente physiquement ou affectivement. Le garçon a inconsciemment nourri envers sa mère une colère qu'il a refoulée, car il était conscient qu'il ne pouvait pas l'exprimer. Adulte, il cherche à dénigrer les femmes (qui représentent sa mère) à travers la sexualité et en retire du plaisir. Cet homme est particulièrement sujet à développer une dépendance à Internet ou à avoir des demandes particulières auprès des travailleuses du sexe. Il se soucie peu du plaisir de la femme.

Analysez vos propres modèles parentaux

Jusqu'à présent, vous avez eu un aperçu de l'influence qu'ont les modèles parentaux dans l'élaboration de l'identité sexuelle et le développement de la sexualité. Vous vous êtes peut-être reconnu dans les différentes situations que j'ai évoquées. Je vais maintenant vous demander de réfléchir à vos modèles parentaux et à la manière dont ils ont affecté votre identité sexuelle et votre sexualité. Pour ce faire, prenez votre journal de bord et répondez aux questions suivantes :

Si vous êtes un homme :

1. Dans quelle mesure votre père était-il présent dans votre vie ?
2. S'il ne l'était pas, y avait-il une autre figure masculine très présente dans votre vie ? De qui s'agissait-il ?
3. Jusqu'à quel point votre père (ou une autre figure masculine) était-il masculin ? En quoi était-il masculin ? En quoi n'était-il pas masculin ?
4. A-t-il encouragé ou découragé le développement de votre masculinité ? De quelle façon ?
5. Votre mère a-t-elle encouragé ou découragé le développement de votre masculinité ? De quelle façon ?
6. Par rapport aux autres hommes, jusqu'à quel point vous considérez-vous comme masculin ?
7. Avez-vous des difficultés amoureuses ? Si oui, lesquelles ?
8. Avez-vous des difficultés sexuelles ? Si oui, lesquelles ?
9. Quels liens pouvez-vous établir entre vos modèles parentaux, votre degré de masculinité, votre vie amoureuse et votre vie sexuelle ?

Si vous êtes une femme :

1. Dans quelle mesure votre mère était-elle présente dans votre vie ?
2. Si elle ne l'était pas, y avait-il une autre figure féminine très présente dans votre vie ? De qui s'agissait-il ?

3. Jusqu'à quel point votre mère (ou une autre figure féminine) était-elle féminine ? En quoi était-elle féminine ? En quoi n'était-elle pas féminine ?

4. A-t-elle encouragé ou découragé le développement de votre féminité ? De quelle façon ?

5. Votre père a-t-il encouragé ou découragé le développement de votre féminité ? De quelle façon ?

6. Par rapport aux autres femmes, jusqu'à quel point vous considérez-vous comme féminine ?

7. Avez-vous des difficultés amoureuses ? Si oui, lesquelles ?

8. Avez-vous des difficultés sexuelles ? Si oui, lesquelles ?

9. Quels liens pouvez-vous établir entre vos modèles parentaux, votre degré de féminité, votre vie amoureuse et votre vie sexuelle ?

J'espère que cette réflexion vous permettra de prendre conscience de certaines choses. C'est le premier pas vers le changement. Comme je le disais en début de chapitre, les parents sont des modèles imparfaits, car ils sont humains, eux aussi. Peut-être leur en voulez-vous un peu pour ce qu'ils vous ont inculqué sur les plans relationnel et sexuel. Quoi qu'il en soit, rappelez-vous qu'ils n'ont pas pu vous amener là où ils ne sont pas allés eux-mêmes. Ayant eu eux-mêmes des difficultés et des manques, ils ont été des modèles imparfaits. Il ne sert donc à rien de leur en vouloir. La plupart des parents font leur possible pour élever leurs enfants du mieux qu'ils peuvent. Ayez une pensée de remerciement pour ce qu'ils vous ont appris de bien. S'ils présentaient des lacunes en tant que modèles parentaux, vous avez maintenant l'occasion de remédier à la situation.

QUELQUES PAS DE PLUS VERS LE CHANGEMENT

Pour vous aider à compléter votre réflexion, je vous invite à franchir les cinq étapes suivantes. Prenez note que je commence par décrire les étapes en m'adressant aux femmes, puis que j'en reprends la description complète en m'adressant aux hommes (voir pages 203 et 204).

Si vous êtes une femme : Votre réflexion dans votre journal de bord vous a peut-être amenée à reconnaître qu'il y avait des lacunes dans vos modèles parentaux. Vous avez probablement pris conscience du fait que, par exemple, votre mère n'était pas suffisamment féminine et que vous avez du travail à faire pour développer votre féminité, améliorer vos rapports amoureux avec les hommes et vivre une sexualité plus féminine, plus harmonieuse.

La première étape consiste à prendre le temps de vous arrêter à cette prise de conscience, si ce n'est pas déjà fait. Comprenez que le passé appartient au passé et qu'il vous a façonnée, certes, mais que vous ne pouvez pas le modifier, c'est-à-dire que vous ne pouvez pas faire en sorte que votre mère soit un meilleur modèle de féminité pour vous.

La deuxième étape consiste à trouver la volonté de pallier vos lacunes en comprenant bien l'importance de la féminité pour la femme que vous êtes, pour votre bien-être intérieur, vos amours et votre sexualité.

Une fois que vous êtes motivée, *la troisième étape* consiste à observer les femmes dans votre entourage ou dans les lieux publics et d'identifier ce qui appartient au féminin. Est-ce quelque chose qui se trouve dans l'habillement ? Dans l'attitude ? Dans la personnalité ? Dans les rapports avec les autres ? Dans la façon de s'exprimer ? Etc.

À la quatrième étape, demandez-vous jusqu'à quel point vous êtes à l'aise avec ces attributs que vous qualifiez de féminins. Autrement dit, seriez-vous capable de vous en inspirer pour vous-même ?

À la cinquième étape, vous êtes prête à faire des tentatives de changements. J'utilise le mot « tentatives » sciemment, car, au début, il ne faut pas s'attendre à ce que tout change facilement en claquant des doigts. Vous vous êtes comportée d'une certaine façon pendant toute votre vie jusqu'à aujourd'hui. Vous ne pouvez pas exiger de vous-même de changer en quelques semaines. Par contre, vous pouvez faire des efforts.

Quand ce sera difficile, rappelez-vous votre objectif initial, c'est-à-dire les raisons pour lesquelles vous avez entrepris ces changements. Et surtout, soyez persévérante! Dites-vous que ce que vous aurez gagné individuellement vous rapportera aussi en tant que mère. Idéalement, nous voulons être pour nos enfants de meilleurs parents que ce que nos propres parents ont été pour nous. Lorsqu'ils travaillent sur leur masculinité ou leur féminité, plusieurs de mes patients en font d'ailleurs le constat: ils deviennent de meilleurs modèles parentaux.

Si vous êtes un homme: Votre réflexion dans votre journal de bord vous a peut-être amené à reconnaître qu'il y avait des lacunes dans vos modèles parentaux. Vous avez probablement pris conscience du fait que, par exemple, votre père n'était pas suffisamment masculin et que vous avez du travail à faire pour développer votre masculinité, améliorer vos rapports amoureux avec les femmes et vivre une sexualité plus masculine, plus harmonieuse.

La première étape consiste à prendre le temps de vous arrêter à cette prise de conscience, si ce n'est pas déjà fait. Comprenez que le passé appartient au passé et qu'il vous a façonné, certes, mais que vous ne pouvez pas le modifier, c'est-à-dire que vous ne pouvez pas faire en sorte que votre père soit un meilleur modèle de masculinité pour vous.

La deuxième étape consiste à trouver la volonté de pallier vos lacunes en comprenant bien l'importance de la maculinité pour l'homme que vous êtes, pour votre bien-être intérieur, vos amours et votre sexualité.

Une fois que vous êtes motivé, *la troisième étape* consiste à observer les hommes dans votre entourage ou dans les lieux publics et à identifier ce qui appartient au masculin. Est-ce quelque chose qui se trouve dans l'habillement? Dans l'attitude? Dans la personnalité? Dans les rapports avec les autres? Dans la façon de s'exprimer? Etc.

À *la quatrième étape*, demandez-vous jusqu'à quel point vous êtes à l'aise avec ces attributs que vous qualifiez de

masculins. Autrement dit, seriez-vous capable de vous en inspirer pour vous-même ?

À *la cinquième étape*, vous êtes prêt à faire des tentatives de
changements. J'utilise le mot «tentatives» sciemment, car, au
début, il ne faut pas s'attendre à ce que tout change facilement en
claquant des doigts. Vous vous êtes comporté d'une certaine
façon pendant toute votre vie jusqu'à aujourd'hui. Vous ne pouvez pas exiger de vous-même de changer en quelques semaines.
Par contre, vous pouvez faire des efforts.

Quand ce sera difficile, rappelez-vous votre objectif initial,
c'est-à-dire les raisons pour lesquelles vous avez entrepris ces
changements. Et surtout, soyez persévérant ! Dites-vous que ce
que vous aurez gagné individuellement vous rapportera aussi
en tant que père. Idéalement, nous voulons être pour nos
enfants de meilleurs parents que ce que nos propres parents ont
été pour nous. Lorsqu'ils travaillent sur leur masculinité ou leur
féminité, plusieurs de mes partients en font d'ailleurs le constat :
ils deviennent de meilleurs modèles parentaux.

Chapitre 11
Et après...

Après quelques séances de thérapie, plusieurs patients me disent: «Bon, c'est bien beau, et maintenant on fait quoi?» Autrement dit, les gens ont habituellement un besoin de passer concrètement à l'action. Dans ce chapitre, mon objectif est donc de vous orienter vers un processus lent, mais sûr, de passage à l'action dans votre vie pour changer les choses et surtout, évoluer.

Au fil des chapitres précédents, vous avez appris bien des choses. Dans le premier chapitre, vous avez cherché à reconnaître votre caractère unique et à vous apprécier afin d'entretenir un meilleur rapport avec vous-même et avec votre corps. Cette démarche, vous l'avez faite dans l'espoir d'en arriver à établir un meilleur rapport avec l'autre et avec le corps de l'autre. Vous savez maintenant qu'il faut faire la différence entre l'image que vous voulez projeter, l'image que vous projetez et la personne que vous êtes réellement. Plus l'image que vous projetez est proche de qui vous êtes réellement, plus vous êtes en harmonie avec vous-même et plus vous attirez à vous les bonnes personnes dans votre vie.

Dans le deuxième chapitre, vous avez été à même de comprendre l'importance de l'estime de soi et de la qualité des relations interpersonnelles et sexuelles qui en découlent. Seuls nous-mêmes pouvons choisir de nous aimer et de nous respecter; c'est d'ailleurs à travers cet amour et ce respect de nous-mêmes que nous amènerons les autres à nous aimer à notre juste valeur.

Dans le troisième chapitre, vous avez été conduit à établir une distinction entre l'être et le faire, tant dans la vie de tous les jours que dans vos rapports amoureux et sexuels. Vous êtes maintenant

capable de vous rendre disponible physiquement et émotionnellement pour ressentir ce qui se passe autour de vous, pour enfin
ressentir le désir et le plaisir sexuels.

Dans le quatrième chapitre, vous avez pu constater que vous
avez toujours le choix. Bien sûr, les options qui s'offrent à vous
ne sont peut-être pas toujours celles que vous aimeriez, mais vous
en avez toujours. Vous avez pris conscience du pouvoir que vous
avez sur votre vie. À travers les exercices, vous avez eu l'occasion
d'analyser la signification de vos choix et, bien entendu, les effets
qu'ils ont sur votre vie. Vous savez maintenant que vous êtes
responsable de votre vie, de votre bonheur et de votre malheur
ainsi que de la bonne ou de la piètre qualité de vos relations
amoureuses et sexuelles.

Dans le cinquième chapitre, vous avez médité sur les différents
niveaux d'intimité, les principaux problèmes qui y sont reliés et
leurs impacts sur la sexualité. Une sexualité sans intimité n'est pas
aussi riche qu'elle pourrait l'être. Avant que l'on puisse vivre une
intimité sexuelle avec l'autre, il faut régulièrement franchir plusieurs étapes. Autrement dit, la satisfaction sexuelle est reliée à bien
d'autres niveaux de satisfaction personnelle et relationnelle.

Dans le sixième chapitre, vous avez fait connaissance avec vos
trois composantes : votre moi enfant, votre moi parent et votre
moi adulte. Vous avez appris qu'ils sont très impliqués dans votre
vie amoureuse et sexuelle. La partie enfant est souvent à développer chez bien des adultes qui ont grandi trop vite. Il vous appartient, aujourd'hui, de lui faire cette place.

Dans le septième chapitre, vous vous êtes interrogé sur votre
niveau d'engagement. Même si le mot « engagement » fait souvent
peur, il cache de bien agréables surprises. Nous pourrions l'imaginer comme un voyage en avion : l'expérience est exaltante,
mais elle comporte aussi des zones de turbulences. Cela exige
donc beaucoup de confiance : confiance en soi et confiance en
l'autre. C'est cette confiance qui permet l'engagement amoureux
total et qui facilite le contact avec une intimité sexuelle réelle.

Dans le huitième chapitre, vous avez constaté que l'inconscient dicte plusieurs de nos comportements, de nos pensées, de nos attitudes et de nos schémas relationnels et sexuels. Vous avez plongé dans l'univers de votre inconscient et, maintenant que le dialogue entre le conscient et l'inconscient est amorcé, il n'en tient qu'à vous de le maintenir.

Dans le neuvième chapitre, vous vous êtes intéressé aux différents mécanismes de défense. Vous avez peut-être même réussi à identifier les vôtres. N'oubliez pas que ces mécanismes sont souvent à l'œuvre dans votre vie amoureuse et sexuelle, puisque vous y recourez davantage quand vous vous sentez vulnérable. Or, intimité oblige, il y a beaucoup de zones de vulnérabilité dans le couple et la sexualité.

Dans le dixième chapitre, vous avez compris l'importance des modèles parentaux et leur influence dans le développement de votre identité en tant que femme ou en tant qu'homme. Vous avez même été amené à faire l'analyse de vos propres modèles. Gardez à l'esprit que la féminité et la masculinité influencent grandement votre sexualité : plus votre identité sexuelle est solide, c'est-à-dire en forte concordance avec votre sexe anatomique, plus votre sexualité est épanouie.

LENTEMENT MAIS SÛREMENT VERS LA TRANSFORMATION

Au fil des pages de ce livre, vous avez donc appris bien des choses et vous vous demandez maintenant comment vous allez faire pour appliquer tout cela dans votre vie. Ne vous en faites pas, bien des gens m'ont déjà posé la même question. En fait, le simple fait que vous vous posiez la question témoigne d'une grande motivation de votre part. Bravo ! La motivation au changement est le premier pas vers la transformation. Par contre, sachez que, même si vous avez acquis un bon bagage grâce à ce livre, pour le moment, le tout se situe davantage au niveau conscient. Pour que des changements profonds s'opèrent, il faut laisser le temps à l'information de s'infuser à l'intérieur de vous, passant de la tête au cœur. Vous avez compris bien des choses intellectuellement, mentalement, mais la compréhension émotionnelle des choses est encore plus importante. Aussi, donnez-vous du temps.

Quand saurez-vous que vous avez commencé à comprendre les choses de manière plus émotionnelle qu'intellectuelle ? Lorsque vous vous surprendrez à ressentir un mieux-être et à vous mettre à l'avant-plan dans votre vie. Peut-être vous permettrez-vous aussi de donner aux gens qui vous entourent des conseils qui les encourageront à aller dans le même sens. Sans vous en rendre compte, vous aurez assimilé des messages de ce livre et vous les aurez mis en pratique au point où cela deviendra naturel pour vous ! C'est votre entourage qui sera surpris.

À ce propos, il m'arrive souvent de constater que certaines personnes faisant partie de l'entourage de mes patients – conjoint, membres de la famille ou amis – semblent un peu négatives face à leur cheminement. Bien que leurs réactions soient parfois désagréables, elles sont tout à fait normales. Voici pourquoi : les gens n'aiment pas qu'on change leurs habitudes ; ils sont à l'aise dans ce qui leur est connu, que ce soit sain ou malsain. Or, lorsque vous opérez des changements, vous venez bousculer certaines habitudes. Si vous le faites pour vous-même, c'est parce que vous étiez prêt ; cependant, ça ne veut pas dire que votre entourage l'était. Vos proches n'ont pas nécessairement lu ce livre ni fait votre cheminement. Donc, ils seront quelque peu désorientés par certains de vos changements.

Prenons un exemple. Si vous avez toujours pensé aux autres avant de penser à vous-même, il y a fort à parier que bien des gens seront mécontents de vous voir vous mettre en priorité, car ils ne seront plus aussi gâtés par vous qu'ils l'étaient. N'oubliez pas ceci : à la longue, tout le monde est gagnant dans le sens où, si vous pensez davantage à vous-même, vous vous sentirez mieux dans votre peau, votre humeur sera meilleure et, donc, vos interactions avec les autres n'en seront que plus positives. Si certaines personnes semblent déserter votre vie parce que vous prenez de l'assurance, demandez-vous si elles vous aimaient réellement pour qui vous étiez ou si elles aimaient plutôt ce que vous leur donniez… Ça porte à réfléchir, non ?

Les gens qui vous aiment profondément seront heureux de vous voir plus confiant, plus sûr de vous. Ils vous encourageront dans vos progrès et peut-être feront-ils le choix de cheminer eux aussi. Pourquoi pas ? Dans ma pratique, il est souvent arrivé que des gens viennent me consulter individuellement puis, à la suite de leur cheminement et de leurs prises de conscience, que leur partenaire souhaite également entreprendre une démarche, car il avait envie d'avancer lui aussi. Ça fait des couples beaucoup plus intimes et solides.

Plusieurs d'entre nous sont perfectionnistes. Leurs attentes envers les autres sont élevées, mais celles qu'ils ont envers eux-mêmes le sont encore davantage. C'est la raison pour laquelle je tiens à souligner que cette démarche n'est pas un concours de performance. Si quelqu'un de votre entourage lit aussi ce livre, ne tombez pas dans le piège consistant à vous comparer dans vos prises de conscience ou l'application des exercices et des conseils. Chaque personne est unique et, par voie de conséquence, chaque cheminement est unique.

La fable du lièvre et de la tortue m'a toujours beaucoup parlé. Certains se jettent tête première dans une activité quelconque ; ils se dépêchent, mais, chose peu surprenante, ils s'essoufflent et terminent rarement la course, c'est-à-dire le travail qu'ils ont entrepris. Vous connaissez certainement des personnes de ce genre. Imitez plutôt la tortue qui, elle, avance lentement mais sûrement. Donc, dans l'application des changements, ne vous attendez pas à ce que tout soit parfait les premiers temps. Donnez-vous du temps ! Vous apprendrez à travers vos essais et vos erreurs. Rappelez-vous que l'important n'est pas la chute, mais la façon dont on se relève.

Vous ferez face à certaines situations où vous aurez à vous affirmer et peut-être n'en serez-vous pas capable malgré vos prises de conscience et votre bonne volonté. Ne vous tapez pas sur la tête. Souvenez-vous que vous êtes souvent votre juge le plus sévère. Prenez plutôt du recul et tâchez de comprendre ce qui a rendu votre affirmation difficile. C'est en comprenant le pourquoi du comment qu'on arrive à cheminer. Que votre mot d'ordre soit « persévérance » !

J'ai mentionné le fait que des réticences de l'entourage peuvent mettre un frein à votre élan vers le changement, mais il y a aussi la difficulté pour l'être humain en général de trouver un juste équilibre lorsqu'il fait les choses. Par exemple, si jusque-là vous aviez une relation plutôt superficielle avec votre partenaire et que, tout à coup, vous ne parlez plus que de votre couple et de votre avenir ensemble, il se peut que ce soit trop. Apprenez à doser vos interventions. Allez-y une étape à la fois. J'aime beaucoup le proverbe qui nous rappelle que Rome ne s'est pas bâtie en un jour. Il nous indique qu'il faut mettre de la persévérance dans tout ce que nous entreprenons. Vouloir atteindre un mieux-être personnel, relationnel et sexuel est tout un objectif ! Pour faciliter votre cheminement, pensez à découper ce grand objectif en de plus petits objectifs que vous pourrez plus facilement mesurer.

Par exemple, vous pourriez vous donner comme objectif général d'avoir une meilleure intimité sexuelle avec votre conjoint. À partir de ce grand objectif, vous pourriez établir vos objectifs spécifiques en fonction des différents niveaux d'intimité, en commençant par vous réserver au moins un moment de loisir partagé chaque semaine. Vous travailleriez alors votre intimité des loisirs. C'est loin de votre intimité sexuelle, me direz-vous ? En effet, mais rappelez-vous que lorsqu'on voyage le trajet peut être tout aussi intéressant, sinon davantage, que la destination elle-même. Songez à tout ce que vous découvrirez l'un sur l'autre.

La communication est essentielle. Mettez au courant les personnes très proches de vous du fait que vous êtes en train d'accomplir un cheminement. Cela les aidera à mieux vous comprendre. Aussi, si vous êtes incertain dans une situation, n'hésitez pas à en discuter avec les personnes concernées. Et surtout, écoutez-vous ! Si vous ne vous sentez pas bien dans une situation, déduisez-en que quelque chose ne va pas. Trouvez ce que c'est et rectifiez la situation. Par exemple, supposons que votre partenaire souhaite vous amener avec lui dans un bar de danseuses nues, mais que vous n'êtes pas à l'aise d'y aller, craignant de vous retrouver pratiquement la seule femme dans un milieu où les femmes sont des objets de convoitise. Dites-le à votre partenaire et respectez-vous. Il pourra toujours y aller seul ou avec des amis. Vous n'êtes pas obligé de faire des choses qui vous mettent mal à l'aise. Ce n'est pas ce type de choses qui vous feront avancer ; en fait, c'est même souvent le contraire qui pourrait se produire.

Donc, en résumé, vous avez les connaissances et les outils pour faire de bonnes prises de conscience et les mettre en application. Les trois mots clés sont ici indulgence, courage et confiance. Soyez indulgent avec vous-même, avec vos lenteurs et vos rechutes, car elles font aussi partie de vous. Soyez aussi indulgent avec votre entourage, qui ne vous comprendra pas toujours. Vous retrouverez le chemin de l'harmonie. Soyez courageux pour mettre en pratique ce que vous avez appris et pour faire les changements qui s'imposent. Enfin et surtout, soyez confiant ! D'abord, soyez confiant en votre capacité de mener à terme votre projet de croissance personnelle. Ensuite, ayez confiance que votre partenaire cherchera à comprendre et à grandir avec vous, si votre relation est solide. Finalement, ayez surtout confiance en la Vie, qui met sur votre route les embûches que vous êtes capable de surmonter et les bonheurs que vous méritez.

Je suis très honorée d'avoir pu vous accompagner tout au long de votre lecture et heureuse du cheminement que vous avez commencé à faire. J'ai pleinement confiance que vous saurez mettre en application ce que vous avez appris sur vous-même. Bonne route !

Bibliographie

BADEAU, Denise, et André BERGERON. *Santé sexuelle et vieillissement :
pour une approche globale de la sexualité des adultes âgés*, Montréal,
Les Éditions du Méridien, 1997, 389 p.

BUREAU, Jules. *Le goût de la solitude*, Montréal, Les Éditions du
Méridien, 1997, 198 p.

_____. *L'irrésistible différence : l'homme et la femme : iden-
tité, désir, amour et plaisir*, Montréal, Les Éditions du Méridien,
1994, 369 p.

_____. *Le goût de vivre : essai sur la nature et les sources de
l'intérêt à vivre et sur ses relations avec le désir sexuel*, Montréal,
Les Éditions du Méridien, 1993, 356 p.

_____. *Vivement la solitude ! La nature et les avantages de la
solitude et ses liens avec la sexualité humaine*, Montréal, Les
Éditions du Méridien, 1992, 150 p.

CORNEAU, Guy. *Père manquant, fils manqué*, Montréal, Les Éditions
de l'Homme, 2003, 199 p.

_____. *Victime des autres, bourreau de soi-même*, Montréal,
Les Éditions de l'Homme, 2003, 344 p.

CRÉPAULT, Claude. *La sexoanalyse : à la recherche de l'inconscient
sexuel*, Paris, Payot, 1997, 422 p.

D'ANSEMBOURG, Thomas. *Cessez d'être gentil, soyez vrai : être avec les
autres en restant soi-même*, Montréal, Les Éditions de l'Homme,
2001, 249 p.

DE LASSUS, René. *Analyse transactionnelle : une méthode révolution-naire pour bien se connaître et mieux communiquer*, Alleur (Belgique), Marabout, 1991, 280 p.

ERIKSON, E. H. *Childhood and society*, Norton & Company, College Edition, 1951, 445 p.

FREUD, Sigmund. *Le rêve et son interprétation*, Les Éditions Gallimard, 1925, 118 p.

GRAY, John. *Les hommes viennent de Mars, les femmes viennent de Vénus*, Montréal, Éditions Logiques, 1994, 325 p.

HOUDE, Nathalie, et Dorota NIEDZIELA. *Intimement vôtre... – Quelques notions sur l'intimité*. http://sexologuesholistiques.com/pdf's/intimite.pdf

JOLY, Yvon, et coll. *La thérapie de couple dans une perspective systé-mique : approche interactionnelle*, Montréal, Éditions Bellarmin, 1986, 202 p.

LAMARRE, Suzanne. *Aider sans nuire : de la victimisation à la coopé-ration*, Montréal, Lescop, 1998, 169 p.

MALTAIS, Solange. *La pyramide de l'intimité*, document de travail, 1997.

——————. *L'autoperception de l'intimité et de la sexualité chez l'homme victime d'abus sexuel extrafamilial à l'enfance et chez sa partenaire*, Montréal, Université du Québec à Montréal, 1996, 148 p.

SCHNARCH, David. *Passionate Marriage : Keeping Love & Intimacy Alive In Committed Relationships*, New York, Henry Holt And Company, 1998, 432 p.

——————. *Constructing the Sexual Crucible : an Integration of Sexual and Marital Therapy*, New York, W. W. Norton, 1991, 636 p.

WARING, E., D. McELRATH, D. LEFCOE et G. WEISZ, « Dimensions of Intimacy in Marriage », *Psychiatry*, vol. 44, mai 1981, p. 169-175.

Table des matières

Achevé d'imprimer au Canada
sur papier Enviro 100 % recyclé
sur les presses de Marquis imprimeur inc.